Prydau Pum Peth

Take Five

Gareth Richards

Diolch yn fawr iawn i Angharad, Elinor, Hazel, Claire a Dorry,
y pum person a roddodd y blas i'r gyfrol hon.

Cyhoeddwyd yn 2011 gan
Wasg Gomer, Llandysul, Ceredigion SA44 4JL

ISBN 978-1-84851-362-4

Golygydd y gyfrol: Angharad Dafis
Ymgynghorydd bwyd: Hazel Thomas
Lluniau: Claire Ward
Dyluniad: Dorry Spikes

Dymuna'r cyhoeddwyr gydnabod cymorth
Cyngor Llyfrau Cymru.

Argraffwyd a rhwymwyd yng Nghymru gan
Wasg Gomer, Llandysul, Ceredigion

I griw Tinopolis
Am eu cyfeillgarwch, eu cefnogaeth a'u chwerthin

Pwyso a Mesur
Weights and Measures
Metrig (i'r 5g agosaf)
Metric (to the nearest 5g)

½ owns	15g
¾ owns	20g
1 owns	30g
1½ owns	40g
2 owns	55g
2½ owns	70g
3 owns	85g
3½ owns	100g
4 owns	110g
4½ owns	125g
5 owns	140g
6 owns	170g
7 owns	200g
8 owns	225g
9 owns	255g
10 owns	280g
11 owns	310g
12 owns	340g
1 pwys	450g
1½ pwys	680g
2 bwys	910g
3 phwys	1360g

Hylifau
Liquids
Metrig (i'r 5ml agosaf)
Metric (To the nearest 5ml)

½ owns hylifol	15ml
1 owns hylifol	30ml
2 owns hylifol	60ml
3 owns hylifol	90ml
4 owns hylifol	120ml
5 owns hylifol (¼ peint)	150ml
6 owns hylifol	180ml
7 owns hylifol	210ml
8 owns hylifol	235ml
9 owns hylifol	265ml
10 owns hylifol (½ peint)	285ml
15 owns hylifol (¾ peint)	425ml
1 peint	570ml

Tymheredd
Temperatures
Nwy
Gas Mark

140ºC	284ºF	1
150ºC	302ºF	2
160ºC	320ºF	3
180ºC	356ºF	4
190ºC	374ºF	5
200ºC	392ºF	6
220ºC	428ºF	7
230ºC	446ºF	8
240ºC	464ºF	9

Talgrynwyd y pwysau a'r tymheredd yn rhai o'r rysetiau unigol

Weights and temperatures have been rounded up or down in some of the individual recipes

Tamaid i aros pryd ...
... a little of what you fancy

Prydau blasus, cyflym, hawdd eu paratoi y mae llawer ohonom eisiau heddiw. Dyna oedd y sbardun ar gyfer creu casgliad o rysetiau oedd yn cynnwys pum cynhwysyn yn unig.

Mae yna amrywiaeth o ddanteithion yn y llyfr hwn sydd wedi'i rannu'n bum adran. Gallwch ddewis o blith yr adrannau er mwyn cynllunio'r pryd bwyd delfrydol ar gyfer pob math o achlysuron. Ymhlith y rysetiau mae yna nifer yr wyf yn hoff o'u paratoi gartref, rhai sy'n boblogaidd ymhlith cynulleidfaoedd sioeau coginio ac eraill sy'n fy atgoffa o fy mhlentyndod.

Un o fanteision y dull syml hwn o baratoi bwyd yw nad oes gofyn treulio gormod o amser yn siopa. Gallwch brynu'n lleol mewn siopau unigol, marchnadoedd ffermwyr ac o lygad y ffynnon gan y cynhyrchwr ei hunan. Rhan o bleser mynd ati i goginio yw gwerthfawrogi'r hyn sydd wrth law ar garreg y drws. Mae ansawdd, blas a lliw bwyd tymhorol yn bwysig i mi. Yr ydym yn ffodus fod gennym yng Nghymru gynhyrchwyr bwyd o safon. Yn eu plith mae cymeriadau yr wyf yn eu hadnabod yn bersonol. Braint yw gallu eu cynnwys yn y llyfr.

Gobeithio y cewch fwynhad wrth fwrw golwg dros yr arlwy ac y bydd hynny'n eich ysbrydoli i dreulio amser yn y gegin gan wybod mai dim ond pum peth fydd eu hangen arnoch i greu pryd hyfryd.

Hwyl i chi o'r gegin

I've taken just five ingredients for each dish and created a mouth-watering menu for you pick and choose from. I love buying locally, and seasonal food tastes so much better. So enjoy the book, stock up on Welsh produce and get cooking!

Y FWYDLEN

BYRBRYDAU 8
Paté caws Cymreig/Paté ffa/Bisgedi ceirch/Gnocchi'r Cardi/
Bara Pum Peth/Ffritata/Aur Cenarth wedi ei bobi

DECHREUFWYD 32
Cawl ffa, tomato a phesto/Cawl melon/Terîn y trên/
Corgimychiaid yr oes hon/Salad moron a datys/Wyau a chennin

PRIF GYRSIAU 52
Ffyn hwyaden a saws eirin Mair/Penfras a phetalau pesto/
Parseli porc ac eirin/Chilli cig oen a chwscws/Pastai eog a chennin/
Stecen a salsa

PWDINAU 74
Pwdin sinsir a bricyll/Troellen meringue/
Pwdin pwll y Pasg/Tarte tatin banoffi/Brulée riwbob/
Pwdin Eisteddfod Llambed

DANTEITHION Y GEGIN 96
Picl Pum Peth/Sgwariau siocled â sglein/Sgons oren a chnau pecan/
Torth ffrwyth a sbeis/Peli siocled ac eirin/Teisenni brau

Menu

Snacks 8

Welsh cheese paté/Bean paté/Oatcakes/Cardi gnocchi/
Take Five bread/Frittata/Baked Cenarth Gold

Starters 32

Tomato, bean and pesto soup/Melon soup/Steam train terrine/
Prawns with a twist/Carrot and date salad/Egg and leek pots

Mains 52

Duck sticks with gooseberry sauce/Cod and pesto petals/
Pork and plum parcels/Lamb chilli with couscous/
Salmon and leek en croute/Steak with salsa

Puddings 74

Apricot and ginger crunch/Meringue roulade/
Chocolate Easter pudding/Banoffee tarte tatin/
Rhubarb brulée/Lampeter Eisteddfod pudding

Kitchen Favourites 96

Take Five chutney/Glossy chocolate squares/
Orange and pecan scones/Fruit and spice loaf/Prune truffles/
Shortbread

BYRBRYDAU
Snacks

8

Llanerchae

PATÉ CAWS CYMREIG
PATÉ FFA
BISGEDI CEIRCH
GNOCCHI'R CARDI
BARA PUM PETH
FFRITATA
AUR CENARTH WEDI EI BOBI

Welsh cheese paté
Bean paté
Oatcakes
Cardi gnocchi
Take Five bread
Frittata
Baked Cenarth Gold

PATÉ CAWS CYMREIG

Mae cynhyrchu caws yn hen draddodiad y byddai'n cynfamau yn ei arfer fel rhan o'u bywyd beunyddiol. Mynd i'r farchnad leol y byddent ddwy, dair cenhedlaeth yn ôl i werthu'r caws a'r menyn. Y gwahaniaeth heddiw yw bod cynhyrchwyr wedi datblygu dulliau marchnata sy'n golygu eu bod yn gallu allforio'u cynnyrch ymhell y tu hwnt i Glawdd Offa. Erbyn hyn mae Cymru'n cynhyrchu cawsiau o fri.

Mae cawsiau Teifi, Cenarth, a Gorwydd yn lleol i mi ac rwy'n hoff iawn o'u blas. Mae'r rysáit hwn yn ffordd hwylus o ddefnyddio darnau o gaws sydd dros ben ar y llechen neu'r hambwrdd pren wedi i chi fod yn cynnal parti. Mae'n gweithio'n dda fel llenwad taten bob neu ar dost fel caws wedi ei bobi o dan y gril.

Cynhwysion

12 owns o gaws Cymreig o wahanol fathau (rhai gyda pherlysiau a ffrwythau) er enghraifft Teifi, Cenarth, Gorwydd, y Fenni

1 afal

1 goes helogan/seleri

1 llwy fwrdd o gaws meddal

tua 2 lwy bwdin o bicl cartref (er enghraifft Picl Pum Peth gweler tudalen 98)

Dull

Gorchuddiwch 4 pot ramecin â haenen lynu. Gratiwch y caws a'i roi mewn powlen. Torrwch yr afal a'r seleri yn fân a'u hychwanegu i'r cymysgedd caws. Ychwanegwch y caws hufennog i greu paté meddal. Rhannwch y picl rhwng y potiau, ac yna llenwch nhw â'r paté caws. Rhowch nhw yn yr oergell am hanner awr. Trowch allan ar bedair llechen neu ar blatiau. Gweinwch gyda bisgedi ceirch a grawnwin.

Tip: Gallwch ddefnyddio cnau fel crwst yn lle picl

Welsh Cheese Paté

Grate 340g of assorted Welsh cheeses, including some with fruit and herbs e.g. Teifi, Gorwydd, Cenarth, Y Fenni. Place in a mixing bowl. Chop 1 apple and 1 stick of celery, add to cheese mixture and combine with 1 tablespoon of cream cheese to make a soft paté. Line 4 ramekin dishes with clingfilm. Divide 2 dessertspoons of Picl Pum Peth/Take Five chutney between ramekins. Spread cheese paté over chutney and place in fridge. Turn out onto 4 individual slate platters. Remove clingfilm and serve with biscuits and fruit.

Tip: This paté freezes well

PATÉ FFA

Does dim rhaid rhedeg i'r siop o hyd i brynu bwydydd parod anarferol. A'i wreiddiau yng ngwlad Groeg, mae hwn yn fyrbryd canol dydd hawdd sydd hefyd yn gallu darparu pryd bach cychwynnol iachus, sydyn a chyfleus gan fod y rhan fwyaf o'r cynhwysion yn bethau y gallwch eu cadw yn eich cwpwrdd bwyd o un pen blwyddyn i'r llall, bron.

Ffordd hyfryd o'i weini yw fel dip ynghyd â phupur coch, oren a gwyrdd a moron a seleri wedi eu torri'n stribedi. Gellid hefyd ei gynnwys fel tapas, y platiau blasus bychain hynny sy'n boblogaidd iawn y dyddiau hyn.

Caws o'r radd flaenaf yw Caws Teifi

Cynhwysion

14 owns o wycbys wedi'u draenio

4 llwy fwrdd o tahini, sef hadau sesame ac olew

2 glof o arlleg wedi eu malu

sudd ½ leim

1 llwy fwrdd o bupur coch wedi'i rostio o jar

Dull

Rhowch y gwycbys a'r pupur mewn prosesydd bwyd i greu past. Yna trosglwyddwch y cymysgedd i bowlen digon o faint. Ychwanegwch y tahini, y garlleg wedi ei falu, y leim, pupur a halen, ac ychydig o ddŵr. Rhowch y paté mewn potiau, malwch ychydig o bupur du drostynt cyn eu gweini â bara blawd cyflawn neu fisgedi ceirch (gweler tudalennau 21 ac 17).

Tip: Gellir defnyddio tomato heulgoch yn hytrach na phupur coch wedi'i rostio

Tip i Gardi: Mae rholio leim, lemwn neu oren ar fwrdd yn rhyddhau'r sudd o'r cnawd ac yn gwneud iddo fynd ymhellach. Mae hyn yn wir am unrhyw ffrwyth sitrig. Neu gellir ei roi yn y popty ping am ychydig eiliadau

Bean paté

Place 400g of drained chickpeas from a can with one tbsp of roasted red pepper from a jar (or sunblushed tomato) in a food processor and blend to a paste. Turn out into a mixing bowl and add 4 tablespoons of tahini, 2 cloves of garlic and the juice of half a lime. Season to taste and add a little water. Serve in pots with strips of pepper and wholemeal bread or oatcakes (see recipes on pages 23 and 17).

Tip: The red pepper hummus will keep in the fridge for up to a week with a little oil drizzled on top in an airtight container

BISGEDI CEIRCH

Mae'r bisgedi ceirch yr ydym yn eu mwynhau heddiw yn llinach y bara ceirch y byddai cenhedlaeth fy mam-gu a'm hen fam-gu yn eu paratoi. Byddai fy mam-gu ar ochr fy nhad, sef Mam-gu Pantycelyn, ger Brechfa, yn arfer coginio'r rhain ar y planc ond ni fyddai'n defnyddio blawd. Ychwanegais y powdwr codi am ei fod yn creu bisgedi mwy ysgafn. Dyma fwyd iach naturiol sy'n llesol i'r corff ac i'r ysbryd.

Mae'r bisgedi'n gydymaith ardderchog i'r cawsiau gwych sy'n cael eu cynhyrchu yma yng Nghymru. Rwy'n dwlu ar gaws, ac wrth fy modd yn ei gyflwyno fel y gwna'r Ffrancwyr, cyn y pwdin neu yn ôl y ffordd draddodiadol Gymreig, fel cwrs ola'r pryd bwyd.

Os ewch am dro i Abercych, cewch weld y broses gynhyrchu ar waith yng Nghaws Cenarth a chael croeso twymgalon yno. Dilynwch yr afon tua'i haber ac fe ddewch i Landudoch lle mae yna felin sydd wedi ei hadfer i'w gogoniant ac sy'n cynhyrchu ceirch, blawd, bran a bara o'r safon uchaf.

Cynhwysion

5 owns o flawd plaen
10 owns o geirch mân
pinsied o Halen Môn
2 lwy de o bowdwr codi
5 owns o fenyn
wedi'i dorri'n sgwariau
2 owns hylifol o ddŵr berw

Dull

Cynheswch y ffwrn i 180ºC/350ºF/Nwy 4.
Cymysgwch y blawd, y ceirch, yr halen a'r powdwr
codi, yna ychwanegwch y menyn i wneud cymysgedd
briwsionllyd. Ychwanegwch ddŵr berw yn araf a gofalus,
a thylinwch er mwyn gwneud toes bisgedi. Rholiwch
allan ar wyneb bwrdd wedi'i ysgeintio â blawd. Torrwch
y bisgedi â thorrwr, a'u gosod ar fwrdd pobi wedi'i
orchuddio â phapur gwrthsaim. Coginiwch y bisgedi am
12-15 munud. Gadewch iddynt sefyll ychydig cyn eu rhoi
ar resel i oeri. Gellir gweini'r rhain gydag eog wedi ei fygu
a dil neu baté ffa.

Tip: Mae ceirch yn dda i ostwng lefel y colesterol yn y gwaed

Oatcakes

Warm oven to 180ºC/350ºF/Gas Mark 4. Mix 140g of flour, 280g of fine oats, a pinch
of salt such as Halen Môn, 2 teaspoons of baking powder then add 140g of butter cut
into squares. Rub fat into oat mixture until it resembles breadcrumbs. Now gradually
and carefully add 60ml of boiled water and knead to form biscuit dough. Roll out onto
a floured surface. Use a cutter to make a batch of oatcakes, and place them on a baking
tray covered with greaseproof paper. Cook for 12-15 minutes. Allow to cool a little before
transferring them onto a wire rack.

Tip: These may be served with smoked salmon and dill or with bean paté

GNOCCHI'R CARDI

Ymhlith y cynhyrchwyr llysiau lleol i mi y mae cynnyrch fferm Llanerchaeron lle y byddaf yn aml yn cynnal gweithdai gyda phlant ac oedolion ac yn creu rysetiau o'r cynnyrch sydd ar gael yn yr ardd ar y pryd. Os oes yna doreth o ryw lysieuyn arbennig yno, byddaf yn canolbwyntio ar hwnnw gan ddefnyddio'r cynnyrch yn un o'r rysetiau a bydd hynny wedyn yn hyrwyddo gwerthiant o'r siop wrth y glwyd cyn diwedd y dydd. Mae pobl yn cael profi cyn prynu, felly mae'n beth da i'r cwsmer. Gallant ail-greu'r rysetiau wedi iddynt gyrraedd adref.

Os ydych yn teimlo'n arbrofol, beth am baratoi gnocchi? Mae'n dipyn o her i gyflawni'r rysáit hwn. Mae'r math o daten a ddewisir yn bwysig, yn ogystal â'r ffordd yr ydych yn ei choginio. Taten ganllyd sydd ei hangen er mwyn i'r cymysgedd fod yn ysgafn â llai o ddŵr ynddo, (megis Maris Piper, King Edward, Golden Wonder neu Cara). Dylid ei choginio yn gyfan yn gyntaf a thynnu'r croen wedyn, fel bo llai o ddŵr yn mynd i mewn i'r daten, wedyn dylech ei phwno.

Cynhwysion

3 taten fawr
1 melynwy
8-10 owns o flawd plaen
7 owns o facwn wedi'i fygu a'i dorri
2 gorbwmpen (courgette) wedi'u torri'n ddarnau.

Dull

Golchwch y tato a choginiwch nhw yn eu crwyn mewn dŵr wedi'i halltu nes eu bod yn dyner. Tynnwch grwyn y tato a'u pwno mewn powlen yna ychwanegwch y blawd a'r melyn wy i wneud toes. Rholiwch yn stribedi hir a thorrwch yn ddarnau ¾ modfedd. Gwasgwch wyneb pob un â fforc. Cynheswch ffrwmpan, ac ychwanegwch y bacwn a'r 2 gorbwmpen. Ffriwch y cyfan am ryw 5 munud nes eu bod yn euraidd. Berwch ddŵr hallt mewn sosban fawr, gollyngwch y gnocchi i'r dŵr a choginiwch am ryw 3-4 munud. Gwaredwch y dŵr a gweini'r gnocchi ynghyd â'r bacwn a'r gorbwmpen.

Tip: Gellir defnyddio bara lawr yn lle corbwmpen os dymunir

Cardi Gnocchi

Wash three large potatoes and cook in their skins in salted water until tender. Mash potatoes, transfer to mixing bowl and add 300g of flour and 1 egg yolk to form a dough. Roll into long strips and cut each into 2cm pieces. Press each one with the back of a fork. Heat a frying pan then add 200g of bacon pieces and 2 chopped courgettes. Fry for about 5 minutes until golden. Bring a large saucepan of water to boil, add gnocchi and cook for 3-4 minutes. Drain, season to taste and serve with the fried bacon and courgettes.

Tip: Replace courgettes with laverbread, if preferred

BARA PUM PETH

Byddwn yn arfer gwneud bara i'w werthu yn lleol. Roedd cymaint o fynd arno nes bod galw arnaf i gynhyrchu mwy a mwy ohono. Byddwn yn prynu'r blawd mewn sachau mawrion i greu bara brown â gwenith a darnau o hadau ar ei ben. Roedd blas da iawn arno, roedd yn faethlon ac roedd yn fara eitha trwm. Byddai un dafell o fara cyflawn o'r fath yn werth sawl tafell o fara gwyn o ran ei allu i ddigoni rhywun. Rhoddais y gorau i'r pobi am fod yn rhaid dewis rhwng hynny a bywoliaeth mwy amrywiol. Ond mae yna rywbeth hynod foddhaol mewn trin a thrafod toes a'i weld yn codi. Ac mae parhau'r grefft o hala'r bara yn parhau'r cyswllt rhyngom a'n gorffennol.

Torth wen yw hon ond mae ychydig yn anarferol gan fod olewydd ynddi. Mae'n gweddu'n berffaith i'r cawl ar dudalen 34.

Mae'r rysáit hwn yn darparu ar gyfer dwy dorth.

Cynhwysion
1 pwys o flawd gwyn cryf
1 llwy fwrdd o furum sych cyflym
2 lwy fwrdd o olew olewydd
1 llwy fwrdd o olewydd du wedi'u malu
Llond dwrn o rosmari o'r ardd

Dull
Cynheswch y ffwrn i 180°C/350°F/Nwy 4. Rhowch y blawd a'r burum mewn powlen fawr gydag 1 llwy de o siwgr a phinsied o halen. Ychwanegwch 2 lwy fwrdd o olew olewydd a ½ peint o ddŵr cynnes. Cymysgwch â chyllell i wneud toes meddal. Trowch y toes allan ar fwrdd wedi'i ysgeintio â blawd. Tylunwch y toes am o leia 5 munud ac yna ychwanegwch yr olewydd du wedi'u malu a'u cymysgu'n drylwyr. Rholiwch yn ddau gylch o 10 modfedd. Gosodwch y toes ar fwrdd pobi wedi'i iro. Gorchuddiwch a'i adael i godi am 20 munud. Gwthiwch eich bysedd yn y toes i wneud tyllau bach. Gwasgarwch

21

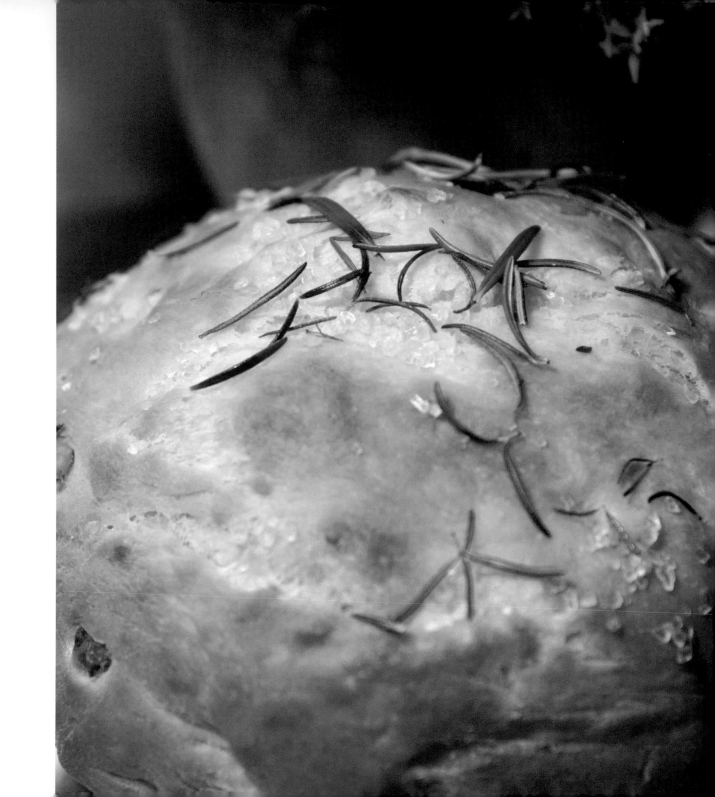

halen a rhosmari ar ei wyneb ac ychydig o olew olewydd. Coginiwch am tua 25 munud nes ei fod yn euraidd. Gosodwch ar resel i oeri.

Tip i bobl brysur: Os ydych yn berchen ar beiriant gwneud bara, gellir ei ddefnyddio i baratoi'r toes a choginio'r dorth yn y ffwrn

Take Five bread

Heat oven to 180ºC/350ºF/Gas Mark 4. Put 450g of strong plain flour and 1 tablespoon of quick dried yeast into a bowl with 1 teaspoon of sugar and a pinch of salt. Add 2 tablespoons of olive oil and 285ml of tepid water. Mix with a knife to make a soft dough. Turn out onto a floured surface and knead the dough for at least 5 minutes. Add 1 tablespoon of chopped black olives, mix in well. Roll into two ten inch circles. Place dough on a greased baking tray. Cover and allow to rise for 20 minutes. Push your fingers into dough to create small holes. Scatter a handful of chopped rosemaryover surface, season with sea salt and drizzle with olive oil. Bake for 25 minutes until golden.

Tip: You can use fresh yeast instead of dried yeast

FFRITATA

Mae wyau yn un o'r pethau hanfodol hynny ym mhantri unrhyw gogydd. Os ydych yn coginio cacennau, allwch chi ddim bod hebddynt. Mae'n dipyn o benbleth heddiw i rywun allu penderfynu pa fath o wyau i'w prynu, gan fod cynifer o wahanol ddulliau cynhyrchu wyau yn bodoli. Mater o chwaeth bersonol yw hi yn y pen draw, wrth gwrs. Does dim yn well gen i nag wy o iâr sy'n rhydd i rodio yma a thraw; mae'r melyn yn gymaint melynach ac yn darparu cymaint gwell lliw mewn cacennau. Erbyn hyn does dim rhaid i chi fyw yn y wlad i fagu ffowls; daeth yn arferiad i amryw o drigolion y trefi i wneud hynny yn eu gerddi cefn.

Mae ffritata yn rhywbeth hawdd i'w baratoi i'r sawl sy'n gyndyn o fentro i goginio. Ni all llawer fynd o'i le wrth ei greu. Yn ei hanfod mae'n bur debyg i omled sydd hefyd yn cynnwys dŵr neu laeth ond bod y dull o'u paratoi a'u coginio fymryn yn wahanol. Mae omled yn dipyn ysgafnach. Gweinir omled yn dwym ond gellir bwyta ffritata yn dwym neu'n oer. Fel arfer mae ffritata yn mynd ymhellach nag omled. Gellir ei dorri'n gwlffe. Mae hwn yn bwydo pedwar.

Mae blas y chorizo'n treiddio drwy'r cyfan ac yn rhoi arlliw arbennig iddo. A dyna braf fod gennym o leiaf ddau gynhyrchwr chorizo bellach yng Nghymru, Traed Moch yn y gogledd orllewin a Chaws Cenarth yn y de orllewin.

Cynhwysion

5 wy

2 winwnsyn

7 owns o dato wedi'u plicio a'u torri'n giwbiau

3½ owns o chorizo wedi ei dorri'n fân

ychydig o bersli wedi'i falu

Dull

Pliciwch y winwns a'u torri'n fân. Cynheswch olew mewn ffrwmpan a choginiwch y winwnsyn a'r tato yn araf am tuag 20 munud. Ychwanegwch y chorizo a choginiwch am ryw 5 munud. Curwch yr wyau mewn powlen gydag ychydig o bupur a halen a'r persli wedi'i dorri'n fân. Rhowch y cymysgedd dros y winwns a'r tato yn y ffrwmpan a choginiwch y cyfan ar wres isel am tua

10 munud. Trowch allan ar blât wyneb i waered yna dychwelwch y ffritata i'r ffrwmpan unwaith eto i goginio'r ochr arall am tua 5 munud. Sleisiwch y ffritata a gweinwch yn gynnes neu'n oer. Dyma rysáit sy'n berffaith ar gyfer picnic.

Tip: Yn wahanol i omled, gallwch fforddio curo'r wyau yn galed wrth baratoi ffritata

Frittata

Warm some oil in a pan and gently fry 2 peeled and finely chopped onions together with 200g of peeled and cubed potatoes for 20 minutes. Add 100g of chopped chorizo and cook for 5 minutes. Beat 5 eggs in a mixing bowl with seasoning and a handful of chopped parsley. Pour egg mixture into pan and cook over low heat for 10 minutes. Turn out onto a plate and return to pan for 5 minutes to cook the other side. Serve warm or cold, cut into wedges.

Tip: The taste of the chorizo, produced by Traed Moch in north west Wales and Caws Cenarth in the south west, permeates this simple to prepare dish

AUR CENARTH WEDI EI BOBI

Chwarae ar y syniad o fondue a wneir yn y fan hon, nid y math sy'n defnyddio cig, ond y fersiwn mwy gwerinol y mae caws yn sylfaen iddo. Mae ychwanegu afal a theim yn darparu blas tipyn mwy diddorol i bryd sydd mewn perygl o fod braidd yn undonog fel arall.

Daeth yr ysbrydoliaeth ar ei gyfer oddi wrth yr ymweliad blynyddol â Llanerchaeron adeg y cynhaeaf. Mae'r dathliad hwn a gynhelir yn ystod wythnos y tato yn denu pobl o bell ac agos ac yn tynnu plant yr ardal yn arbennig i mewn i'r gweithgaredd. A thra bo hwythau yn cael casglu pwmpenni a thwco fale, yr her i mi yw coginio rhywbeth ots i'r arfer gan ddefnyddio'r cnwd lluosog o afalau a geir yno bob blwyddyn.

Gogoniant y rysáit hwn yw bod modd ei baratoi rhag blaen a'i gynhesu erbyn swper. Mae Aur Cenarth, fel y caws Ffrengig Camembert, yn dod mewn bocs. Mae ei gyflwyno wedi ei goginio yn y pecyn gwreiddiol yn ffordd anarferol o'i weini – fel rhoi anrheg i rywun.

Gallwch ei gynnig yn lle pwdin. Neu fel pryd cymdeithasol, ei osod yng nghanol y ford a chaniatáu i bawb helpu eu hunain.

Cynhwysion

1 owns o fenyn

1-2 lwy fwrdd o fêl Cymreig

1 afal, ychydig yn sur, megis Burben

1 pecyn o gaws Aur Cenarth

Ychydig o ddail teim

Dull

Cynheswch y ffwrn i 180°C/350°F/Nwy 4 am 20 munud. Toddwch y menyn mewn ffrwmpan ac ychwanegwch y mêl. Cynheswch nes ei fod wedi carameleiddio. Tafellwch afal a choginio'r cyfan am 4-5 munud. Tynnwch yr haenen blastig oddi ar wyneb y cosyn a'i adael yn ei flwch.

Rhowch yr afal wedi ei garameleiddio ar y cosyn yn y blwch, gwasgarwch ychydig o ddail teim ar ei wyneb, clymwch y bocs yn dynn â chortyn rhag iddo dorri yn y ffwrn a choginiwch am 20 munud.

Gweinwch gyda thafelli o fara wedi eu tostio.

Tip: Gellir arbrofi drwy ddefnyddio unrhyw fath o gaws o'i osod mewn llestr pridd a chlawr arno i'w goginio

Tip tymhorol: Hen ffordd o gadw afalau yw eu lapio'n unigol mewn papur newydd a'u cadw mewn lle tywyll, oer. Mae eu gosod ar lechen yn eu cadw'n oerach. Gellir hefyd dynnu'r croen oddi arnynt, eu chwarteri a'u rhewi

Baked Cenarth Gold

Melt 30g of butter in a small frying pan and add 1-2 tablespoons of honey. Heat until caramelised. Slice one tart apple e.g. Burben and add to the pan. Cook for 4-5 minutes. Remove film from surface of a 250g round of boxed Cenarth Gold and leave cheese in box. Tie the box with some string to prevent splitting during cooking. Arrange caramelised apples on top of the cheese. Sprinkle with a few thyme leaves and bake at 180ºC/350ºF/ Gas Mark 4 for 20 minutes. Serve with toasted bread.

Tip: Peeled and quartered apples can be frozen

Marchnad Llandudoch – ble arall yn y byd y gallech brynu baedd gwyllt, bara cyflawn o'r felin gyferbyn, coed afalau pig aderyn a chimwch yn syth o'r môr? Llandudoch – lle nodedig!

DECHREUFWYD
Starters

CAWL FFA, TOMATO A PHESTO
CAWL MELON
TERÎN Y TRÊN
CORGIMYCHIAID YR OES HON
SALAD MORON A DATYS
WYAU A CHENNIN

Tomato, bean and pesto soup
Melon soup
Steam train terrine
Prawns with a twist
Carrot and date salad
Egg and leek pots

CAWL FFA, TOMATO A PHESTO

Cawl maethlon, syml a blasus. Mae hwn yn esblygiad o'r arfer o fwyta pys neu ffa Ffrengig yn eu dŵr eu hunain fel pryd gwerinol yn syth o'r ardd: pryd maethlon braf gyda bara menyn brown a phupur. Mantais y rysáit hwn ar y llaw arall yw nad oes raid i chi fod yn arddwr ysbrydoledig i allu ei baratoi. Bwyd tun/sych sydd yma ond mae'n hynod iach ac yn mynd gam yn nes at gael eich pum llysieuyn neu ffrwyth y dydd. Mae'n hawdd iawn i'w baratoi ac fe allai fod yn gynhaliaeth dda i rywun yn nhrymder gaeaf a hithau'n rhewi'n gorn. Pryd cynhwysfawr i lysieuwyr a phryd i wresogi'r enaid. Pryd addas i gadw'r gwres miwn a'r bilie lawr.

Cynhwysion

1½ peint o stoc cyw iâr neu lysiau
1 tun 400g o ffa menyn
1 tun 400g o ffa cannellini
4 llwy fwrdd o burée tomato
4 llwy fwrdd o besto

Dull

Rhowch y stoc mewn sosban, ychwanegwch y ffa, dewch â'r cyfan i ferw. Trowch y gwres i lawr ac ychwanegwch y purée tomato a'r pesto. Coginiwch ar wres isel am 5 munud. Malwch â hylifwr llaw. Ychwanegwch ychydig o halen a phupur. Gweinwch mewn powlen â bara cyflawn ffres neu fara Pum Peth.

Tomato, bean and pesto soup

Put 850ml of chicken or vegetable stock in a pan with 400g of tinned butter beans and 400g of tinned cannellini beans, and bring to the boil. Reduce the heat and stir in 4 tablespoons of tomato purée and 4 tablespoons of pesto. Simmer gently for 5 minutes. Blend with hand blender. Warm soup and season with a little pepper. Serve with wholemeal bread or Take Five bread.

CAWL MELON

Er nad yw'r enw 'cawl' a'r ansoddair 'oer' yn bethau y byddem yn cyplysu â'i gilydd fel arfer, dyna a geir yn y fan hon. Efallai nad ydym chwaith yn cael gormodedd o dywydd tanbaid yng Nghymru, a barnu yn ôl hinsawdd yr hafau diweddar. Ond pan fo'r heulwen yn penderfynu tywynnu'n ddidrugaredd, y peth olaf y mae rhywun yn mofyn ei fwyta yw bwyd poeth. Beth sy'n well ar dywydd o'r fath na darn o felon yn syth o'r oergell? Y mwyaf aeddfed yw'r ffrwyth, melysa'i gyd yw ei flas.

Dyma ffordd wych o ddefnyddio melon hynod aeddfed na ellid ei weini, wedi'i dafellu, yn y modd arferol. Mae'n addas ar gyfer picnic neu fel dechreufwyd oer a braf yng nghanol yr haf. Gallai fod yn gwrs cyntaf ar gyfer gwesteion. Mae'r rysáit isod yn ddigon ar gyfer wyth o bobl – gan ei fod yn bur foethus, does dim angen llawer ohono. Gellid ei weini mewn cwpan, soser a llwy de neu hyd yn oed fel *amuse-gueule*, chwedl y Ffrancwr, mewn gwydryn tebyg i wydr cymundeb rhwng cyrsiau.

Cynhwysion

1 afocado aeddfed wedi'i haneru a'r garreg wedi ei thynnu

1 melon galia
(neu gantalwp, crwban, mêl, dŵr)

1 peint o sudd oren

3 llwy fwrdd o iogwrt â mêl

ychydig o lus e.e. llus o'r Blue Company i addurno

Dull

Rhowch yr afocado wedi'i haneru ar fwrdd llyfn. Gwaredwch y croen a thorrwch yn ddarnau. Torrwch y melon yn hanner, gwaredwch yr hadau a thynnwch y cnawd o'r canol a'i dorri'n fras. Rhowch y melon, yr afocado a'r sudd oren mewn hylifwr, yna rhidyllwch y cyfan. Oerwch y cawl. Gweinwch yn oer a'i addurno â iogwrt ac â llus.

Purdeb –
dyma hanfod ffrwythau'r berllan las ar y ffin

Llun drwy garedigrwydd y Blue Company

Tip: Mae'r sudd oren yn atal yr afocado rhag troi lliw.

Tip i Gardi: Mae pris melon ychydig yn rhatach yn yr haf felly mae'n mynd ymhellach

Tip tymhorol: Gellir defnyddio afans neu fafon yn lle llus

Tip i gariadon: Gellir gweini hwn i ddau

Tip i rieni: Dyma ffordd ddychmygus o annog plant i fwyta ffrwythau

Melon soup

Halve and stone one ripe avocado. Put avocado halves on a flat surface, remove the skin and chop. Cut a Galia melon (or cantaloupe, turtle, honeydew, watermelon) in half, remove the seeds and scoop out the flesh. Place the melon, avocado and 550ml of orange juice in a liquidiser then pass through a sieve. Chill. Serve chilled for two in melon shell topped with 3 tablespoons of honey yoghurt. Decorate with a handful of blueberries.

Tip: This chilled melon soup may be served in communion glasses between courses to clear the palate. You could add a tiny amount of parsley instead of blueberries to give it a little twist

TERÎN Y TRÊN

Mae'r rysáit hwn yn un y byddaf yn ei baratoi ar gyfer y gwleddoedd cyson a gynhelir ar drên stêm Gwili, ym Mronwydd ger Caerfyrddin. Dyma'r unig reilffordd unigryw i Gymru sy'n gweini bwyd ar drên. Hwn yw Orient Express y Cymry. Mae camu i orsaf Bronwydd fel camu i'r gorffennol ac mae gweld y stêm yn codi wrth i'r trên aros yn yr orsaf yn hudo'r teithwyr yn ôl i fyd arall mwy hamddenol ymhell o bwysau'r byd hwn. Mae modd ymlacio ar y trên, mwynhau'r olygfa a chael eich bwydo ar yr un pryd.

Bydd y nosweithiau'n digwydd ar adegau penodol o'r flwyddyn megis cyfnod y Pasg ac yn aml mae thema neilltuol iddynt, megis James Bond neu gyfnod y tri degau. Gweinir canapés ar y platfform wrth i'r teithwyr gyrraedd a chynhelir y swper wyth cwrs ar y trên o hanner awr wedi chwech y nos tan un ar ddeg. Darperir y cynnyrch gan fwydydd Castell Howell ond fe ddaw'r perlysiau o ardd yr orsaf ei hun. Fel sylfaen ar gyfer pob cwrs ar y trên byddaf yn defnyddio rhyw gynnyrch Cymreig neu'i gilydd, er enghraifft sorbet o Heavenly, Llandeilo. Mae hyn yn gallu bod yn dipyn o her gan fod y trên yn symud a bod perygl i'r bwydydd fynd yn garlibwns.

Yn y terîn hwn rwy'n defnyddio cynnyrch unigryw ham Albert Rees o farchnad Caerfyrddin ac mae'r math hwn o bryd yn arbennig o addas ar gyfer achlysur o'r fath.

Cynhwysion

1 pwys o friwgig porc
5 tafell o ham Caerfyrddin
1 owns o gnau pistachio wedi'u malu'n fân
1 winwnsyn wedi'i falu'n fân
2 glof o arlleg

Dull

Leiniwch dun torth â phapur gwrthsaim, yna gosodwch bedwar darn o ham, megis ham Caerfyrddin, ar waelod ac ar ochrau'r tun. Cymysgwch y briwgig porc â'r cnau a'r winwns ac ychwanegwch y garlleg ac ychydig o bupur a halen. Gwasgwch y cymysgedd i'r tun, a gosodwch sleisen arall o'r ham ar yr wyneb. Plygwch yr ham sydd ar yr ochrau tua'r canol. Rhowch mewn tun rhostio ac

arllwyswch ychydig o ddŵr o'i gwmpas. Gorchuddiwch y tun â ffoil. Coginiwch am tua ¾ awr ar wres 150ºC/300ºF/Nwy 2. Tynnwch o'r tun rhostio a gadewch iddo oeri. Tafellwch y terîn a'i weini gyda Phicl Pum Peth, bara a berw dŵr.

Tip: Mae ham Caerfyrddin yn hyfryd wedi ei lapio o gwmpas gellyg fel dechreufwyd. Mae hefyd yn gydymaith da i gaws gafr ac i bysgod, fel bwyd aros pryd

Steam train terrine

Line a 1lb loaf tin with greaseproof paper. Then line with 4 slices of ham, such as Carmarthen ham. Mix 500g of pork mince with 25g of pistachio nuts and one finely chopped onion. Add 2 cloves of crushed garlic. Season to taste. Press into the tin, lay another slice of ham on top and bring the ham over from the edge. Cover the loaf tin with foil and place in a roasting tray. Carefully pour water so that it reaches a third of the way up the outside of the loaf tin. Cook for about ¾ hour at 150°C/300°F/Gas Mark 2. Remove from oven and allow to cool in tin. Turn out and cut into slices.

Tip: Serve with Picl Pum Peth (Take Five chutney), bread and watercress

Cwrdd â Sion Corn neu wledda'n foethus: mae rhywbeth at ddant pawb ar Reilffordd Gwili.

43

CORGIMYCHIAID YR OES HON

Rwy'n digwydd credu bod pysgod a ffrwythau yn cydweddu â'i gilydd yn ardderchog. Mae cyfosod eirin Mair a mecryll yn hen draddodiad Cymreig. Yn y fan hon rwyf wedi mentro defnyddio mango a llond gwniadur o baprica i fynd gyda'r corgimychiaid. A dyna roi arlliw modern i rysáit a esblygodd rywsut i gael ei ystyried yn un eithriadol o draddodiadol. Oherwydd amrywiad yw'r rysáit ar y cwrs cyntaf hwnnw a oedd yn ffasiynol ac yn boblogaidd iawn yn saithdegau'r ganrif ddiwethaf sef y 'prawn cocktail'. Byddai'r corgimychiaid wedi eu trwytho mewn hylif pinc o saws coch, mayonnaise, saws Caerwrangon a sudd lemwn, a'r letys o'u cwmpas yn wrthbwynt o ran lliw a blas. Dyna deimlad boddhaol oedd gallu paratoi rhywbeth oedd yn creu cymaint o argraff a hynny heb fawr o ymdrech. Pa ryfedd yn y dyddiau prysur hyn, fod rysáit a fu'n gymaint o sefydliad wedi profi tipyn o ddadeni?

Mae'r fersiwn cyfoes hwn yn iachach ar ryw olwg. Ond cofiwch – gormod o ddim nid yw dda. Gellir ei weini i fagu archwaeth cyn bwyta gyda gwydraid o win gwyn oer.

Cynhwysion

1 mango
8 owns o gorgimychiaid mawrion (tiger prawns)
4 shibwnsyn wedi'u torri
1 llwy de o baprica
gemletysen ar gyfer gweini

Dull

Torrwch hanner y mango yn giwbiau bychan. Yna rhowch yr hanner arall mewn prosesydd bwyd ynghyd ag 1 llwy fwrdd o ddŵr a pheth pupur i flasu. Tynnwch y croen a'r pen o'r corgimychiaid ffres. Cynheswch ychydig o olew mewn ffrwmpan, a choginiwch y corgimychiaid a'r paprica am tua 3 munud. Yna ychwanegwch y ciwbiau mango a 3 o'r shibwns. Coginiwch am tua munud. Trefnwch y dail letys ar blatiau, a gosodwch y corgimychiaid ar eu pennau. Defnyddiwch y shibwns sy'n weddill fel addurn, ysgeintiwch â'r enllyn mango, a malwch ychydig o bupur du dros y cyfan.

Tip: Mae modd defnyddio corgimychiaid wedi eu rhewi yn hytrach na rhai ffres

Prawns with a twist

Cut ½ a mango into cubes. Place other half in food processor with 1 tablespoon water and pepper to season. Whizz into a purée. Heat some oil in a pan, add 225g of tiger prawns with 1 teaspoon of paprika and cook for about 3 minutes. Add mango cubes and 3 chopped spring onions and season to taste. Cook for 1 minute. Arrange little gem lettuce leaves on plates and spoon over prawn mixture. Drizzle with mango dressing, garnish with 1 chopped spring onion and season with black pepper.

SALAD MORON A DATYS

Mae yna rywbeth braf mewn datys. Maen nhw'n llawn ffibr ac yn amlwg o les i'r corff a'u hansawdd egsotig hefyd yn ddifyr ac yn gwbl wahanol i unrhyw fwyd arall mewn gwirionedd. Dyma un o'r danteithion hynny y byddwn yn rhwym o'u cysylltu yn fwy na dim â chyfnod y Nadolig. Wn i ddim amdanoch chi ond bydd pecyn neu ddau ohonynt yn sicr o ffeindio'u ffordd i'r tŷ 'co. Rwy'n hoff o'u defnyddio yn un o rysetiau arbennig cyfnod yr ŵyl sef pwdin taffi gludiog, gan eu bod yn llawn lleithder. Ond os yw'r

gwledda a'r gloddesta wedi mynd yn drech na chi a'r syniad o fwyta pwdin arall yn fwrn a chithau'n dyheu am bryd bach ysgafnach, dyma salad maethlon nad yw'n ormod o dreth i'w baratoi na'i fwyta. A dyna chi wedi datrys problem arall – sef beth i'w wneud â'r holl ddatys yna sydd wedi pentyrru yn y cwpwrdd bwyd dros yr Ŵyl . . .

Wrth i'r flwyddyn newydd wawrio, a'r dydd ddechrau ymestyn, bydd gweini hwn fel pryd yn ei hawl ei hunan yn gyfle i ddechrau breuddwydio am ddyfodiad yr haf, am brydau al fresco ar balmentydd Paris, Montpellier neu Lambed o leia . . .

Mae hwn yn ddigon i bedwar person.

Cynhwysion

4 owns o ddatys ffres neu rai wedi eu sychu

3 oren

4 moronen

2 owns o almonau wedi eu malu a'u tostio

2 lwy fwrdd o fwstard grawn cyflawn/mwstard whisgi

Dull

Gratiwch y moron a'u pentyrru mewn powlen. Tynnwch y croen oddi ar ddau o'r orennau a'u hollti'n ddarnau cyn eu hychwanegu at y moron ynghyd â halen a phupur. Taenwch y datys, yna'r cnau dros y cyfan. Gwasgwch y sudd o'r oren sy'n weddill a'i hidlo. Cymysgwch ef gyda'r mwstard ac ychydig o fêl, yna arllwyswch yr hylif dros y salad a rhowch yn yr oergell i oeri. Gweinwch â gemletysen.

- Mae'n addas i lysieuwyr a byddai'n bryd mwy sylweddol o'i fwyta â bara neu salad tato
- Gellir cyflwyno cig hefyd, megis bacwn wedi ei goginio a'i dorri'n fân neu bysgod, er enghraifft mecryll wedi eu mygu neu hyd yn oed fôr-frwyniaid (anchovies). Mae'n gymar da i gebabau neu olwython cig oen
- Byddai'n sicr o harddu byrddaid o fwydydd oer ac yn addas hefyd ar gyfer picnic

> **Tip:** Gellid cadw'r saws mewn pot jam ar gyfer picnic a'i arllwys dros y salad ar y funud olaf cyn gweini

Carrot and date salad

Grate 4 carrots and place in a bowl. Peel and segment two oranges and add to the carrots. Season with salt and pepper. Pile 110g of dates on top and sprinkle with 55g of chopped toasted almonds. Squeeze the juice from another orange and remove zest. Mix in 2 tablespoons of wholegrain mustard. Sprinkle liquid over salad and allow to chill in fridge. Serve with little gem lettuce. An excellent accompaniment to lamb steaks or kebabs. Serves four.

Tip: This could also be served as a main meal for two

WYAU A CHENNIN

Dyma bryd bach syml sy'n defnyddio cynnyrch Cymreig tymhorol o'n marchnadoedd. Yn y blynyddoedd diweddar mae marchnadoedd y ffermwyr wedi dod yn rhan bwysig o'r calendr bwyd a maeth. Rhaid peidio ag anghofio am bwysigrwydd y farchnad draddodiadol chwaith, fel marchnadoedd Caerfyrddin a Llanelli. Mae'r ddau fath ar farchnad yn gyfrwng effeithiol i'r cynhyrchwr allu gwerthu ffrwyth ei lafur am bris teg, heb ymyrraeth yr archfarchnadoedd. Rhestrir y cynnyrch sydd ar gael ym marchnadoedd Caerfyrddin a Llanelli ar ddiwedd y llyfr. Mae yna restr hefyd o farchnadoedd cynnyrch lleol gan gynnwys pryd a ble y maent yn cael eu cynnal.

Yn y rysáit hwn rwyf wedi rhoi dewis arall yn lle'r sbigoglys (spinach) y byddech yn debygol o fedru ei brynu o'r farchnad yn y gwanwyn. Mae cocos yn fwyd Cymreig sy'n dipyn o enllyn mewn gwirionedd. Ac mae eu casglu o draethau lleol cyn eu gwerthu mewn marchnadoedd megis marchnad Llanelli yn hen arfer sy'n ymestyn yn ôl dros y cenedlaethau. Rwy'n ddigon ffodus i fyw yn weddol agos i arfordir Ceredigion.

49

Yn blentyn, byddwn wrth fy modd yn bwyta cocos oddi ar y cei yn Aberaeron. Eu mwynhau yn y fan a'r lle mewn cwdyn papur a finegr wedi ei dywallt drostynt.

Cynhwysion

1 llwy fwrdd o fenyn

7 owns o gennin wedi'u torri'n dafelli tenau

4 owns o gocos Penclawdd o farchnad Llanelli neu 4 owns o sbigoglys (spinach)

5-6 llwy fwrdd o hufen curo

4 wy

Dull

Toddwch y menyn mewn ffrwmpan, a choginiwch y cennin am 3-5 munud nes eu bod yn feddal. Ychwanegwch y cocos neu'r sbigoglys a 3 llond llwy fwrdd o hufen. Coginiwch am tua 4 munud. Ychwanegwch halen a phupur. Irwch 4 pot ramecin, a gosodwch hwy mewn tun rhostio. Rhannwch y cymysgedd rhyngddynt. Torrwch wy ar bob un ac ychwanegwch yr hufen sy'n weddill. Arllwyswch ddŵr poeth yn y tun rhostio o gwmpas y potiau ramecin a choginiwch ar wres 190°C/375°F/Nwy 5 am tua 10 munud. Gweinwch yn gynnes.

Egg and leek pots

Melt 1 tablespoon butter in a frying pan and cook 175g of leeks for 3-5 minutes to soften. Add 110g of spinach or cockles and 3 tablespoons of cream. Cook for about 4 minutes. Season to taste. Grease 4 ramekin dishes and place in a roasting tin. Divide mixture between ramekins. Break an egg on top of each ramekin and cover with remaining 2 tablespoons cream. Pour hot water carefully into the roasting tin around each ramekin and bake at 190°C/375°F/Gas Mark 5 for about 10 minutes. Serve warm.

Tip: You can buy fresh Penclawdd cockles from Llanelli Market

Cocos Penclawdd, betys, sbigoglys –
llond sosban ym marchnad Llanelli.

PRIF GYRSIAU
Main Courses

FFYN HWYADEN A SAWS EIRIN MAIR
PENFRAS A PHETALAU PESTO
PARSELI PORC AC EIRIN
CHILLI CIG OEN A CHWSCWS
PASTAI EOG A CHENNIN
STECEN A SALSA

Duck sticks with gooseberry sauce
Cod and pesto petals
Pork and plum parcels
Lamb chilli with couscous
Salmon and leek en croute
Steak with salsa

FFYN HWYADEN A SAWS EIRIN MAIR

Mae i'r rysáit hwn flas dwyreiniol. Mae'n siŵr eich bod i gyd rywbryd neu'i gilydd wedi cael y pleser o fwyta hwyaden wedi ei chrimpio a phancos a saws hoisin o fwyty Tseineaidd. Felly hefyd bancos wedi eu ffreio a'u crimpio. Dyma fynd ati i lunio rhywbeth tebyg ond gan ddefnyddio ffrwyth sy'n rhan ganolog o'n traddodiad bwyd yma yng Nghymru, sef eirin Mair. Mae'n gynnyrch sy'n aml yn cael ei esgeuluso a'i ddiystyru ar y sail ei fod yn sur ei flas. Y gwir amdani yw bod pobl yn tueddu i gynaeafu'r ffrwyth cyn pryd. Gwell dal yn ôl nes bod yna wawr euraid hyfryd ar yr eirin Mair, a'r ffrwyth yn felys. Efallai y cofiwch am yr hen jôc am y Cardi 'yn siafo gwsberis a'u gwerthu nhw fel grêps'. Dydy hynny ddim mor hurt ag y mae'n ymddangos, yn yr ystyr mai melyster yw nodwedd amlycaf y naill ffrwyth a'r llall, o'u trin â'r parch dyledus.

Os ydych yn ddigon ffodus i dyfu eirin Mair yn eich gardd eich hunan, dyma ffordd ddiddorol o'u defnyddio.

Cynhwysion

½ pecyn o does ffilo
2 goes hwyaden
2 lwy fwrdd o saws hoisin
3 shibwnsyn wedi'u torri'n fân
2 lwy fwrdd o jam eirin Mair

Dull

Cynheswch y ffwrn i 180°C/350°F/Nwy 4. Gosodwch goesau'r hwyaden ar fwrdd pobi ac ysgeintiwch ychydig o halen drostynt. Rhostiwch nhw am tua 40 munud. Tynnwch o'r ffwrn. Rhwygwch y cig oddi ar yr esgyrn gan ddefnyddio 2 fforc, a rhowch y cig mewn powlen gyda'r shibwns. Ychwanegwch 1 llwy fwrdd o saws hoisin a chymysgwch y cyfan. Torrwch y toes ffilo yn sgwariau, a rhowch lwy bwdin o'r cymysgedd yng nghanol pob un. Codwch y ddau gornel i'r canol a rholiwch. Seliwch y cyfan gydag 1 llwy de o flawd corn wedi'i gymysgu gyda dŵr.

Cynheswch ddyfnder o ryw fodfedd o olew blodyn yr haul mewn woc, a choginiwch y ffyn nes eu bod yn euraidd. Ar gyfer y trwyth, gosodwch jam eirin Mair ac 1 llwy fwrdd o saws hoisin mewn sosban a chynheswch y cymysgedd. Gweinwch y ffyn ynghyd â'r trwyth a'r shibwns a faint a fynnoch o lysiau ffres a thato. Mae'r rysáit hwn yn ddigon i ddau fel prif gwrs neu i bedwar fel cwrs cychwynnol.

Duck sticks with gooseberry sauce

Place 2 duck legs on a baking tray. Sprinkle with some salt. Roast for about 40 minutes at 180ºC/350ºF/Gas Mark 4. Remove from oven. Shred the meat from the bones using 2 forks and place in mixing bowl with 3 finely chopped spring onions. Add 1 tablespoon of hoisin sauce and mix. Take half a packet of filo pastry and cut into squares. Place a dessertspoon of the mixture in the middle, bring two corners over and roll up. Seal with 1 teaspoon of cornflour mixed with water. Pour a fair amount of sunflower oil into a wok so that oil is about one inch deep and deep fry duck sticks for approximately 2 minutes until golden. For the dip, place 2 tablespoons of goosberry jam and 1 tablespoon of hoisin sauce in saucepan and warm through. Serve the sauce with duck sticks garnished with spring onions. Serves 2 as a main dish or 4 as a starter.

PENFRAS A PHETALAU PESTO

Mae gennym gyfoeth o fwyd môr yng Nghymru ac fel defnyddwyr mae'n bwysig ein bod yn cofio hynny. Mae'r arfordir yn ymestyn am gannoedd o filltiroedd ond yn rhy aml bydd y cynnyrch yn cael ei allforio i lefydd fel Ffrainc cyn i ni gael golwg arno.

Byddaf yn ceisio sicrhau fy mod yn gwneud cryn ddefnydd o bysgod yn ogystal â chig a llysiau wrth baratoi rysetiau ar gyfer arddangosfeydd cyhoeddus, er mwyn cadw'r ddysgl yn wastad. Mae'n werth gofyn i'r gwerthwr pysgod lanhau'r pysgodyn ar eich cyfer. Pan na fo pysgod ffres ar gael, mae pysgod wedi eu mygu yn hwylus iawn i'w defnyddio gan nad oes gwaith paratoi arnynt.

Yn y rysáit hwn rwyf wedi defnyddio penfras, rhywbeth sydd at ddant pawb a thato Sir Benfro sydd ar gael o farchnad cynhyrchwyr bwyd lleol Llandudoch a gynhelir yng nghysgod yr abaty yno bob dydd Mawrth.

Cynhwysion

12 owns o dato bach Sir Benfro
2 owns o fenyn wedi toddi
4 ffiled penfras tua 6 owns yr un
6 llwy de o besto
4 tomato

Dull

Cynheswch y ffwrn i 200ºC/400ºF/Nwy 6. Tafellwch y tato (nid oes angen eu plicio). Coginiwch nhw mewn dŵr berwedig am tua 7-10 munud. Codwch o'r sosban o ddŵr a'u gadael i oeri. Irwch dun ag ychydig o'r menyn wedi toddi, a rhowch y penfras yn y tun. Gorchuddiwch wyneb y penfras â phesto. Rhowch y tato wedi'u tafellu ar ben y pysgod. Ychwanegwch halen a phupur. Torrwch y tomatos yn eu hanner a'u gosod yn addurniadol o gylch y pysgodyn. Rhowch weddill y menyn wedi toddi dros y tomatos ac yna'u gorchuddio â'r pesto. Coginiwch y cyfan am 15-20 munud nes bod y tato yn euraidd braf. Gweinwch yn gynnes gyda llysiau gwyrdd.

Cod and pesto petals

Heat oven to 200°C/400°F/Gas Mark 6. Slice 350g of new potatoes without peeling and cook in boiling water for about 7-10 minutes. Drain and cool. Melt 55g of butter, brush metal tin with a little of the butter and place 4 cod fillets about 175g each in weight in tin. Season to taste. Spread 4 teaspoons of pesto over the cod. Arrange the potato slices over the fish and season. Cut 4 tomatoes in half and arrange cut side up around the fish. Brush potato slices with remaining butter and cover with another 2 teaspoons of pesto. Bake for 15-20 minutes until the potatoes are crisp and golden. Serve hot with green vegetables.

Tip: It is worth asking the fishmonger to clean and prepare the fish for you

PARSELI PORC AC EIRIN

Dewis gwahanol i'r cinio dydd Sul traddodiadol a'r dylanwad dwyreiniol eto yn amlwg yw'r pryd hwn. Ond Cymreig at ei gilydd yw'r rhan fwyaf o'r cynhwysion a'r rheiny ar gael wrth eich penelin megis.

Yr ydym yn tyfu shibwns yn yr ardd a 'nhad yn arbennig o hoff ohonynt i roi tipyn o gic i fara a chaws.

Rwy'n ddigon ffodus hefyd i fedru manteisio ar garedigrwydd fy modryb yng Nghwmann a chanddi dair coeden eirin Buddug doreithiog yn ei gardd. Mae'r eirin yn pingo arnynt ond gan fod y brigau mor frau, a'r coed mor hynafol, byddai'n ffôl

iawn ceisio dringo a phwyso ar y canghennau. Y ffordd hwylusaf o gael gafael arnynt yw mynd â phastwn a rhoi cnoc i'r goeden nes ysgwyd y brigau fel bo'r ffrwyth yn disgyn yn un gawod ar liain yn cael ei ddal bob yn gornel oddi tani. Does dim byd tebyg i'r ffrwyth melys hyfryd hwn a'i wawr felyngoch – anaml y gwelwch ef ar werth heblaw eich bod yn ddigon ffodus i ddod ar ei draws yn y farchnad neu os digwydd i chi dderbyn peth mewn bocs llysiau a ffrwythau sy'n dod i'ch trothwy'n wythnosol. Oherwydd ffrwyth tymhorol unigryw ydyw sydd yn ei ogoniant ar ddiwedd Awst, dechrau Medi ac y mae'n well o lawer o ran blas a lliw na eirin unlliw tywyll, caled a werthir yn yr archfarchnadoedd. Yr eirin tymhorol yw'r eirin gorau i weithio jam. Bydd fy modryb hefyd yn gwneud gwin o'r eirin hefyd a bydd lliw pinc golau arno.

Mae'r eirin yn asio'n berffaith gyda braster y porc. Gweinwch gyda reis neu nwdls.

Cynhwysion

4 golwyth porc

4 eirinen

3 shibwnsyn wedi eu torri'n stribedi

3 llwy fwrdd o saws soya

Rhai hadau sesame neu hadau pabi

Dull

Rhowch y golwython rhwng haenau o blastig a defnyddiwch forthwyl i'w tyneru. Tafellwch 4 eirinen, a'u taenu dros y cig ynghyd â 2 o'r shibwns. Ychwanegwch bupur a halen. Rholiwch y golwython a'u selio â ffyn bychain o bren. Rhowch ddarn o bapur pobi mewn stemiwr, gosodwch y golwython arno ac ysgeintiwch 3 llwy fwrdd o saws soy (neu soya) drostynt. Stemiwch am ryw 10-12 munud. Tostiwch hadau sesame mewn ffrwmpan sych. I weini, rhowch y cig ar blât, ac addurnwch â shibwns, ychydig o saws soy a dyrnaid o hadau sesame. Cofiwch dynnu'r ffyn bychain allan o'r cig cyn gwneud hynny.

Tip Mam-gu Pantycelyn: Torrwch shibwns yn fân ac ychwanegwch finegr a siwgr iddynt – mae fy nhad-cu'n mwynhau bwyta'r gymysgedd hwn gyda bara menyn

Pork and plum parcels

Place 4 pork steaks between plastic sheets or in a bag and use a meat hammer to tenderise. Slice 4 plums, then scatter over the pork with 2 spring onions. Season to taste. Roll steaks and secure filling with a stick. Place a piece of baking paper in steamer, add 4 pork steaks and drizzle with 3 tablespoons of soy (or soya) sauce. Steam for about 10-12 minutes. Toast some sesame seeds in a dry pan. To serve, place pork steaks on a plate, garnish with 1 chopped spring onion, some soy sauce and a sprinkling of sesame seeds, remember to remove the cocktail sticks before serving.

Mam-gu Pantycelyn's tip: Adding spring onions to potatoes as they boil makes the taste rather more interesting

CHILLI CIG OEN A CHWSCWS

A minnau'n fab ffarm rwy'n sylweddoli pwysigrwydd cynnal y diwydiant cig ac amaeth i'r economi Gymreig. Byddem yn magu twrcis a ffowls i'w lladd adeg y Nadolig. Roedd gofyn plyfio tua thri chant a hanner ohonynt am ryw dri diwrnod cyn y Nadolig. Byddai'r porthi yn elfen bwysig: roedd yn rhaid bwydo'r gweithwyr a'r bobl a ddeuai i helpu. Diwrnod trist iawn fyddai diwrnod y lladd. Mae'n wyrth mewn gwirionedd nad wyf yn llysieuwr. Byddai mam yn dweud wrthym mai twrci o rywle arall fyddai ar fwrdd yr Ŵyl, er mai celwydd golau oedd hynny, fel y darganfyddais flynyddoedd yn ddiweddarach. Felly hefyd pan ddaeth hi'n amser mynd â'r oen i'r lladd-dy, a hwnnw'n oen y byddem wedi ei enwi a'i fwydo o'r botel efallai; nid ein hoen ni fyddai'r un ar fwrdd y cinio dydd Sul, byth.

Rydym yn dal i fagu ŵyn yn y caeau gerllaw'r tŷ ac rwy'n gallu eu gwylio'n pori o'r gegin. Cig oen oedd ar y fwydlen pan fues i'n cystadlu yng nghystadleuaeth Masterchef

gyda Lloyd Grossman ac aeth â mi cyn belled â'r rownd gyn derfynol. Rwy'n hoff iawn o fynd i siopa am gig yn lleol ar gyfer swper bach cyflym i fi a Dad. Bu'r brodyr Jones yn gweithredu fel cigyddion yn Llambed mor bell yn ôl ag y gallaf gofio. Roedd Tony Hall yn gweithio iddynt a bellach mae ei fab Simon wedi cymryd at yr awenau. Dyna un o'r pethe deniadol am Lambed, bod cymaint o'r siopau wedi bod yn yr un teuluoedd ers blynyddoedd lawer.

Cynhwysion

2 lwy de o bast chilli

2 olwyth coes oen

6 owns o gwscws

2 owns o dafelli tenau cnau almon wedi eu tostio

2 owns o resins

Dull

Cymysgwch bast y chilli ynghyd â 3 llwy fwrdd o olew olewydd, halen a phupur. Taenwch tua llwy fwrdd o'r hylif dros y cig oen a'i rwbio dros y naill ochr a'r llall. Coginiwch o dan gril wedi ei wresogi'n barod am 3-4 munud nes bod y cig wedi brownio'n braf. Rhowch y cwscws, y cnau almon a'r resins mewn powlen. Arllwyswch hanner peint o stoc neu ddŵr poeth drostynt, gorchuddiwch â phlat a gadewch y cymysgedd i sefyll am bum munud. Defnyddiwch fforc i wahanu'r cwscws, yna ychwanegwch weddill yr olew chilli. Pentyrrwch y cwscws ar ddau blât, gosodwch y cig oen ar ei ben a gwasgarwch goriander yn goron ar y cyfan.

Tip: Gellir defnyddio jeli mintys e.e. Jeli Mintys Cegin Gareth yn lle chilli

Lamb chilli with couscous

Mix 2 teaspoons of chilli paste with 3 tablespoons of olive oil, salt and pepper. Drizzle about 1 tablespoon of the mix over 2 lamb leg steaks and rub to coat both sides. Grill the lamb under a preheated grill for 3-4 minutes each side until well browned. Place 170g of couscous, 55g of toasted flaked almonds and 55g of raisins in a bowl. Pour over half a

Mae mor hyfryd i weld Simon, mab
Tony'n parhau i redeg y busnes,
yr unig siop gigydd yn Llambed.

pint of hot stock or boiling water, cover with a plate and leave for 5 minutes. Fluff up with a fork, then mix in the remaining chilli oil. Pile the couscous on two plates, top with the lamb and sprinkle with chopped coriander.

PASTAI EOG A CHENNIN

Pryd bach ffansi ac iddo flas Cymreig oherwydd y cennin ynddo yw hwn. Bydd fy nhad yn tyfu cennin yn yr ardd heb fawr o drafferth, dim ond eu plannu ac aros iddynt dyfu. Mae modd cynhyrchu cnwd go dda ohonynt mewn lle cymharol gyfyng ac fe gânt lonydd gan falwad. Nid oes angen teneuo cennin chwaith, yn wahanol i foron, sy'n tueddu i ddioddef ymosodiadau gan bryfed a malwad. Rwy'n meddwl ei fod yn un o'r llysiau hynod ddefnyddiol hynny sy'n sylfaen dda ar gyfer pryd o fwyd.

- Gellir creu pryd heb ei ail o gawl cennin fyddai'n ddigon i fwydo teulu gan ddefnyddio rhyw ddwy genhinen, tipyn go lew o dato, stoc llysieuol ac ychydig o laeth wedi ei ychwanegu ato. Gyda thocyn o fara a chaws, dyna i chi bryd rhad, maethlon am y nesaf peth i ddim
- Gellir defnyddio cennin yn lle winwns
- Maent yn dda iawn hefyd mewn stwffin

Mae gan gennin y fantais o fod ar gael am ran helaeth o'r flwyddyn ac mae'n un o'r llysiau prin hynny sy'n gwella wedi iddo gael rhew dros y gaeaf. Mae'n dal i sirioli ein ceginau wedi'r Nadolig ac mae'n para tan ddathliadau Gŵyl Ddewi. Does ryfedd ei fod wedi goroesi fel symbol cenedlaethol i'r Cymry.

Dyma bryd yn ei hawl ei hun felly – y cennin, y caws, y pysgod a thipyn o fraster o'i gwmpas i lenwi bol ar ddiwrnod rhynllyd. Yn ôl eich archwaeth a'r tymor, gallwch ei weini gyda thato newydd neu lysieuyn gwyrdd megis cêl, brocoli porffor, pys neu fresych yn syth o'r ardd.

Cynhwysion

1 pecyn 375g o does crwst pwff wedi ei rolio'n barod

2 ffiled o eog wedi eu hollti'n hanner (i weini pedwar)

1 twba 300ml o grème fraiche

2 genhinen

2 lwy de o fwstard grawn cyflawn

Dull

Cynheswch y ffwrn i 180°C/350°F/Nwy 4. Toddwch ychydig o fenyn mewn ffrwmpan a choginiwch y cennin ynddo. Ychwanegwch y crème fraiche a'r mwstard wedi i'r cennin feddalu tipyn. Rholiwch y toes nes ei fod yn bur denau a'i rannu'n bedwar. Holltwch y ddau ddarn eog yn eu hanner. Gosodwch y cennin ar y gwaelod a darn o eog ar ei ben. Brwsiwch yr ymylon ag ychydig o wy yna plygwch y toes i greu pastai. Gwasgwch yr ochrau yn dynn â fforc i sicrhau bod y cynnwys yn ddiddos wrth i'r pastai gael ei goginio. Gwnewch hyn bedair gwaith. Brwsiwch ag wy a thaenwch bupur a halen drostynt. Gwnewch ychydig o doriadau ar wyneb y pasteiod a choginiwch am 25 munud neu eu bod yn euraidd. Gweinwch ag ychydig o ferw dŵr.

Tip i Gardi: Yn lle eog gellid defnyddio ffowlyn dros ben o ginio dydd Sul ar gyfer y llenwad

Tips pysgodlyd: Os yw blew yr eog yn denau, mae'r pysgodyn wedi cael bywyd hapus ac yn llai tebygol o fod wedi ei fagu ar fferm bysgod. Os yw'r cig yn rhy binc, yn rhy goch, yn rhy lachar nes bron â bod yn oren, mwy na thebyg ei fod wedi ei ddoctora a bod yna ychwanegion wedi eu rhoi yn y cig

Salmon and leek en croute

Heat oven to 180ºC/350ºF/Gas Mark 4. Fry 2 sliced leeks in some oil until softened then add 2 tsp of wholegrain mustard and the contents of a 300ml pot of crème fraiche. Allow to cool and season to taste. Roll a 375g packet of puff pastry and cut into 4 squares. Slice 2 salmon fillets in half. To assemble, spoon a little of the leek filling in the middle of pastry. Place the salmon on top. Brush around the edge with a little egg and fold pastry over the top to form a parcel. Use a fork to seal the edge. Brush with egg and season. Make a few cuts on top. Bake for about 25 minutes until golden brown. Serve garnished with watercress.

Tip: Shortcrust pastry is also suitable for this recipe and can be prepared at home

STECEN A SALSA:
dau rysáit am bris un

Dyma un o fy hoff rysetiau i, lle gallaf lawn werthfawrogi blas y cig eidion sy'n hanu o un o siroedd hyfrytaf Cymru, sef Sir Gâr. Treuliais ddyddiau difyr o 'mhlentyndod ar fferm fy mam-gu a 'nhad-cu yn y sir honno, sef Pantycelyn, ac mae'r rysáit hwn yn fy atgoffa o'r cyfnod hapus hwnnw. Mae tirwedd toreithiog y sir yn gynefin delfrydol i wartheg duon Cymreig a'r cig a ddaw wedi oes o bori'r borfa las yn gig brau amheuthun ei flas. Rysáit braf i'r barbiciw efallai? Mae'n iachus, lliwgar a deniadol.

Salsa syml

Cynhwysion

1 winwnsyn coch neu 3 shibwnsyn
4 tomato sylweddol o faint
Sudd 1 leim
Ychydig o ddail coriander
1 chilli wedi ei dorri'n fân

Dull

Torrwch y winwns neu'r shibwns yn fân a'u rhoi mewn powlen. Gwnewch doriad o groes ar waelod y tomatos a rhowch nhw mewn dŵr berw am ryw 30 eiliad. Bydd hynny'n rhyddhau'r croen oddi arnynt ac yn ei gwneud hi'n hawdd i'w waredu. Torrwch nhw'n hanner a gwaredu'r hadau. Yna torrwch nhw'n fân a'u hychwanegu ynghyd â'r chilli i'r shibwns/winwns yn y bowlen. Malwch y dail coriander â chyllell/chwyrlïwr a'u hychwanegu.

Gweinwch gyda stecen dda fel stecen John James o Fferm Tyllwyd, Felingwm-uchaf. Cynheswch ffrwmpan a thoddwch ychydig o fenyn ac olew ynddi dros wres cymedrol. Rhowch bupur a halen ar y cig a'i goginio at eich dant. (Gweler y cyngor coginio.)

Cymysgwch sudd y leim ac un llwy fwrdd o olew olewydd a'i ychwanegu i'r salsa cyn ei weini gyda'r cig ac ychydig o ddail y coriander yn addurn.

Cyngor coginio

Coginiwch fel y mynnoch:
2-3 munud ar y naill ochr a'r llall fel bo'r cig yn lled amrwd.
3-4 munud ar y naill ochr a'r llall fel bo'r cig yn ganolig.
5-7 munud ar y naill ochr a'r llall ochr i goginio'r cig yn drwyadl.

Tip: Gallwch ddefnyddio'r salsa hefyd fel cydymaith i borc neu bysgod

Steak with salsa: two recipes for the price of one

Finely chop one red onion or 3 spring onions and place in a bowl. Make a cross at the base of 4 large tomatoes and soak in boiling water for 30 seconds so that skin may be easily removed. Cut them in half, discard seeds and finely chop. Add tomatoes plus one finely chopped chilli to spring onions/red onions in bowl. Chop a few coriander leaves with a knife or whirl in processor and add to salsa. Serve with good steak such as Welsh Black Tyllwyd steak from John James, Felingwm-uchaf.

Melt a little butter and oil in frying pan over moderate heat. Season meat and cook according to taste. (See cooking advice.) Mix the juice of one lime with 1 tablespoon of olive oil and add to salsa before serving with steak. Garnish with a few coriander leaves.

Cooking advice
Cook steak according to taste:
2-3 minutes on each side for rare meat.
3-4 minutes on each side for medium to rare.
5-7 minutes on each side for well done.

Tip: Meat from Welsh Black cattle is beautifully tender and lean. This is a great recipe for the barbecue

PWDINAU
Puddings

PWDIN SINSIR A BRICYLL
TROELLEN MERINGUE
PWDIN PWLL Y PASG
TARTE TATIN BANOFFI
BRULÉE RIWBOB
PWDIN EISTEDDFOD LLAMBED

Apricot and ginger crunch
Meringue roulade
Chocolate Easter pudding
Banoffee tarte tatin
Rhubarb brulée
Lampeter Eisteddfod pudding

PWDIN SINSIR A BRICYLL

Rhaid i mi gyfaddef bod gen i bleser euog, sef hoffter o fisgedi. Byddwn yn arfer eu sgwlcan yn blentyn gan wybod yn iawn yn lle y byddai'r bocs bisgedi yn cael ei gadw. Os byddaf yn teimlo bod angen bach o egni, bach o wmff arna i, mae bisged siocled yn gymorth hawdd ei gael mewn cyfyngder. Yr unig drafferth yw na fydd yna ddim ar ôl yn y tŷ pan ddaw'n fater o goginio pwdin gyda nhw.

Yn y rysáit hwn, bisgedi sinsir a ddefnyddir, felly mae sicrhau eu bod wrth law yn dipyn llai o broblem, gan nad yw rhain yn ffefrynnau. Mae'n ffordd adeiladol o ddefnyddio ambell becyn o fisgedi lle bo'r cynnwys wedi ei chwalu'n rhacs heb yn wybod i chi cyn gadael y siop. Os nad oes gennych fisgedi sinsir yn eich cwpwrdd bwyd, mae modd defnyddio bisgedi digestive ac ychwanegu ychydig o bowdwr sinsir iddynt.

Mae'r pwdin hwn yn un hawdd ei baratoi ar gyfer ymwelwyr annisgwyl. Gellir defnyddio unrhyw fath o ffrwyth ynddo mewn gwirionedd.

Cynhwysion

1¼ pwys o fricyll wedi'u haneru a'r cerrig wedi eu gwaredu

2 owns o siwgr

1 llwy de o flas fanila

7 owns o gaws hufennog organig e.e. Sanclêr

5 owns o fisgedi sinsir wedi'u malu (gallwch hefyd ddefnyddio bricyll mewn tun yn hytrach na rhai ffres)

Dull

Rhowch y bricyll mewn sosban ynghyd â'r siwgr. Ychwanegwch 6 llwy fwrdd o ddŵr, a chynhesu'r cyfan nes ei fod yn mudferwi. Rhowch glawr arno a'i goginio'n araf am 8-10 munud. Cynheswch y ffwrn i 200°C/400°F/ Nwy 6. Codwch y bricyll, a chadw'r sudd. Gosodwch y bricyll mewn powlen ac arllwyswch hanner y sudd a gasglwyd drostynt. Curwch y caws hufennog a'r syrop sy'n weddill. Taenwch dros y bricyll. Gwasgarwch y bisgedi sinsir dros y cyfan a'i goginio am 10 munud. Gweinwch yn syth.

Apricot and ginger crunch

Cut 500g of apricots in half and remove stones. Place in a saucepan with 55g of sugar. Add 6 tablespoons of water and warm until simmering. Place lid on saucepan and cook slowly for 8-10 minutes. Warm oven to 200ºC/400ºF/ Gas Mark 6. Lift out apricots and reserve syrup. Place apricots in a bowl and pour half the reserved syrup over them. Beat 200g cream cheese and remaining syrup. Spread over apricots. Sprinkle with 140g of crushed ginger biscuits and cook for 10 minutes. Serve immediately.

Tip: Cut a vanilla pod lengthways and use the seeds. Then place vanilla pod in sugar to create vanilla sugar. Alternatively place seedless pod in food processor with some sugar and use when making custard

TROELLEN MERINGUE

Profodd y droellen foron ac wy yn fy llyfr blaenorol yn hynod boblogaidd. Dyma fersiwn melys y tro hwn. Mae defnyddio mefus a meringue gyda'i gilydd yn ystrydeb ond mae ychwanegu lemwn yn rhoi blas anarferol iddo. Os gallwch gael gafael ar fefus yn eu tymor, gorau oll.

Yr arfer pan oeddwn yn blentyn oedd rhewi mefus er mwyn gallu eu defnyddio gydol y flwyddyn. Doedd hynny ddim yn llwyddiant mewn gwirionedd. Byddai'r ffrwyth yn mynd yn slwtsh, er bod y blas a'r lliw yn ddigon derbyniol. Roedd yr ansawdd yn gwbl wahanol i'r ffrwyth ffres, ac yn debycach i fefus o dun. Er hynny byddem yn arfer mynd yn flynyddol i Henffordd i gasglu mefus. Byddem yn arfer bwyta cymaint o fefus gydol y dydd nes teimlo'n sâl ar y ffordd adref. Ond deuai un peth da iawn o'r siwrnai, sef jam mefus Mam-gu oedd yn byw ar yr un aelwyd â ni yn Goedwig, Llanbedr Pont Steffan. Jam mefus Mam-gu yw un o'r bwydydd mwyaf poblogaidd yng Nghegin Gareth hyd heddiw. Gwaith fy mam-gu fyddai torri'r mefus a rhoi siwgr arnynt ar gyfer y picnic yn y car. Byddai'r siwgr yn creu syrop blasus oedd wrth fodd ein calonnau ni blant.

Does dim angen i neb deithio cyn belled erbyn hyn er mwyn cael coflaid go dda o fefus ym misoedd yr haf. Tyfir mefus yng Ngheredigion ac mae yna ddigonedd o lefydd ar hyd a lled Cymru lle gallwch fynd a chynaeafu drosoch eich hunan yn ogystal.

Mae gweini mefus â finegr balsamic a phupur du yn boblogaidd iawn ac yn cynnig blas anarferol.

Yn y rysáit hwn mae'r cyfuniad o fefus melys, ffresni'r lemwn a meringue meddal yn hyfrydwch pur.

Cynhwysion

4 wy

7 owns o siwgr mân

250ml o hufen dwbl

4 llond llwy fwrdd o geuled lemwn

7 owns o fefus yn eu tymor wedi'u tafellu

Dull

Cynheswch y ffwrn i 180ºC/350ºF/Nwy 4. Leiniwch dun hirsgwar â phapur gwrthsaim. Gwahanwch yr wyau a rhowch y gwyn wy mewn powlen, a'i guro nes ei fod yn gadarn. Yn araf, ychwanegwch y siwgr – un llond llwy fwrdd ar y tro nes ei fod yn sgleiniog. Defnyddiwch lwy i drosglwyddo'r cymysgedd i'r tun a choginiwch am chwarter awr nes ei fod wedi caledu. Tynnwch o'r ffwrn a'i adael i oeri.

Gosodwch ddarn o bapur gwrthsaim ar fwrdd. Trowch y meringue allan a thynnu'r papur gwrthsaim oddi arno. Curwch yr hufen a phlygwch y ceuled lemwn i mewn iddo. Taenwch dros y meringue. Ysgeintiwch y mefus dros y cyfan a'i rowlio'n ofalus. Torrwch y droellen yn dafelli cyn gweini.

Tip i Gardi: Os ydych yn awyddus i'w baratoi eich hunan mae modd i chi wneud ceuled lemwn cartre. Bydd iddo flas hyfryd iawn ond nid yw'n cadw gystal â'r hyn a brynwch yn y siop

Meringue Roulade

Preheat oven to 180°/350°F/Gas Mark 4. Line an oblong swiss roll tin with baking parchment. Separate 4 eggs. Whisk egg whites until stiff. Slowly add 200g of caster sugar, one tbsp at a time, until glossy and firm. Spoon over paper in tin and bake for 15 minutes until crisp on the outside. Remove from the oven and allow to cool. Lay a sheet of baking parchment on work surface. Turn the meringue out onto this. Peel off the baking parchment from meringue. Whip 250ml of whipping cream and fold in 4 tablespoons of lemon curd. Spoon over the meringue. Scatter with 200g of sliced strawberries. Roll up. Slice and serve.

82

Tip: Strawberries served with black pepper and balsamic vinegar are a very popular and modern tasting dish

PWDIN PWLL Y PASG

Yr arferiad amser Pasg fyddai i Mam-gu Goedwig fynd ag wyau siocled a'u gosod yng nghwb y ffowls. Byddwn i a'm chwaer wedyn yn mynd i gasglu'r wyau ac fe fyddai Mam-gu wastad yn mynd i gwato rywle yn y coed i'n gwylio o hirbell. Un tro, roeddem wedi mynd i gwb y ffowls yn ôl yr arfer ond yn methu'n deg â deall: doedd dim byd i'w gael yna. Roedd yr ieir wedi bwyta'r wyau siocled i gyd. Roedden nhw hyd yn oed wedi bwyta'r papur arian metelaidd! Ar dywydd twym iawn, byddai'r cwbl wedi toddi yn y cwb.

Weithiau, byddai Mam yn trefnu helfa wyau ar ein cyfer. Ond fe fyddwn i wrth ei chwt ac yn cwato'r wyau oddi wrth y lleill er mwyn sicrhau na fyddai neb arall yn gallu ennill.

Dyma bwdin perffaith i'w weini a'i fwynhau dros gyfnod y Pasg.

Cynhwysion

3½ owns o siocled o ansawdd da (ac ynddo 70% coco)

3½ owns o fenyn wedi'i dorri 'n giwbiau bach

3 wy

2 owns o siwgr mân

1½ owns o flawd codi ac ychydig ar gyfer ysgeintio

Dull

Cynheswch y ffwrn i 180ºC/350ºF/Nwy 4. Toddwch y siocled a'r menyn mewn powlen dros sosbanaid o ddŵr cynnes. Cymysgwch y siocled wrth iddo doddi a'i adael i oeri. Irwch ac ysgeintiwch fflŵr dros 4 pot pwdin. Curwch yr wyau a'r siwgr yn dda nes eu bod yn welw ac yn ddwywaith y maint. Plygwch y cymysgedd wy i mewn i'r siocled wedi oeri. Rhidyllwch y blawd a chymysgwch y cyfan gan ddefnyddio llwy fetel. Defnyddiwch lwy i roi'r cymysgedd yn y potiau a phobwch nhw am 8-9 munud. Trowch allan ar blât. Ysgeintiwch â siwgr eisin. Gweinwch â hufen iâ a cheirios du.

Chocolate Easter pudding

Heat oven to 180°C/350°F/Gas Mark 4. Melt 100g of good quality chocolate (minimum 70% cocoa) and 100g of butter cut into small cubes in a bowl over a saucepan of gently simmering water. Stir and allow to cool. Lightly butter and flour 4 pudding pots. Whisk 3 eggs and 50g of caster sugar until pale and doubled in volume. Add egg mixture to melted butter and chocolate. Sift in 40g of self raising flour and fold using a metal spoon. Spoon the mixture into pots and bake for 8-9 minutes. Turn out onto a plate. Sprinkle with icing sugar and serve with ice cream and black cherries.

TARTE TATIN BANOFFI

Mae'r rysáit hwn yn dwyn i gof y pei banoffi y byddwn yn ei gael yn blentyn, wedi ei lunio o Angel's Delight. Mae'r pwdin hwn ychydig yn fwy soffistigedig a chyfoes ond yr un mor syml i'w baratoi. Un o fanteision mawr y rysáit hwn yw bod y toes yn cael ei goginio ar ben y cymysgedd ac felly does dim perygl iddo fod yn llipa ac yn llaith. Mae gofyn bod yn ofalus wrth ei droi mas ar blât gan fod y taffi yn mynd i fod yn dwym iawn ac mae angen gofalu nad ydych yn llosgi.

Tip: Mae gosod banana a'r croen arno mewn dŵr oer am chwarter awr yn ei atal rhag troi'n frown

85

Cynhwysion

5 banana

6 owns o siwgr brown meddal

4 owns o fenyn

8 owns o does crwst brau

3 owns o almonau wedi'u tafellu

Dull

Pliciwch a thorrwch y bananas yn dafelli ar ongl a'u rhoi mewn powlen. (Cymysgwch os ydych yn dymuno ag ychydig o sudd lemwn.) Rhowch y menyn a'r siwgr mewn ffrwmpan ddofn sy'n addas i'r ffwrn. Wedi i'r menyn doddi, ychwanegwch y bananas a choginiwch am 10 munud. Gadewch iddynt oeri yn y ffrwmpan. Rholiwch y toes, nes ei fod ychydig yn fwy na'r badell ffrio, a gosodwch ef ar ben y cymysgedd. Gwasgwch y toes o gwmpas yr ochrau i sicrhau na fydd y cymysgedd yn goferu drosto wrth goginio. Coginiwch am chwarter awr ar 180ºC/350ºF/Nwy 4 nes bod y crwst yn euraidd. Gadewch iddo oeri am ychydig funudau. Gosodwch blât dros y ffrwmpan a'i droi allan. Gweinwch ag ychydig o almonau wedi'u malu a hufen iâ megis hufen iâ Conti's Llanbedr Pont Steffan.

Banoffee tarte tatin

Heat oven to 180°C/350°F /Gas Mark 4. Peel and cut 5 bananas into angled slices and place in a bowl. (Add a few drops of lemon juice if desired.) Melt 110g of butter in an ovenproof frying pan. Add 170g of soft brown sugar, and when mixture changes colour add bananas to pan. Cook for 10 minutes and allow to cool in pan. Roll out 225g of shortcrust pastry, so that it is slightly larger than the pan. Lay pastry on top. Tuck in around the edge. Bake for 15 minutes until the pastry is golden. Leave to cool for a few minutes. Place a plate on top and turn tart out onto plate. Serve with a sprinkling of 85g of toasted flaked almonds and a generous scoop of ice cream, my favourite is Conti's ice cream from Harford Square, Lampeter.

Tip: You can buy ready rolled shortcrust pastry

BRULÉE RIWBOB

Rwy'n tyfu riwbob, sy'n llysieuyn, yn yr ardd ac mae'n rhan o'r arlwy tymhorol rhad ac am ddim. Byddaf yn rhoi bwced ar ei ben i'w orfodi i dyfu. Mae'r coesau'n ymestyn at y golau yn rhai hirfain, pinc golau blasus mor gynnar â mis Mawrth. Dydyn nhw ddim yn annhebyg i'r coesau riwbob siampaen a orfodir i dyfu yn ardal y triongl riwbob yn swydd Efrog ac a gesglir yng ngolau cannwyll er mwyn cadw'r lliw pinc a leim hyfryd sy'n perthyn iddynt. Daw ail gnwd wedi i mi dynnu'r bwced oddi arnynt a hynny tua diwedd mis Awst, dechrau Medi. Bydd y cnwd hwnnw yn frasach ac yn fwy chwerw ei flas. Mae'r ail gnwd yn fwy addas ar gyfer creu jam a phicl gan ei fod yn fwy gwydn.

Yn wreiddiol byddai riwbob yn cael ei dyfu gan y mynachod yn un swydd ar gyfer y dail. Pan oeddwn i'n blentyn, byddwn weithiau'n dod o hyd i ambell wy go iawn o dan y dail riwbob yn yr ardd. Hoffai'r ieir gysgodi o dan y dail riwbob er mwyn cadw eu hunain yn oer braf rhag pelydrau llachar yr haul, roedd y dail fel rhyw fath ar barasol mawr organig i'r ieir.

Ond mae'n debyg fod yna sail wyddonol i hyn. Dywedir bod yna gemegyn mewn dail riwbob i gadw bwyd yn oer. Yn yr hen amser felly fe fyddent yn defnyddio dail riwbob i'r pwrpas hwn. Mae'r dail er hynny yn wenwynig a dylid gofalu rhag rhoi dail riwbob nesaf at fwyd. Byddai gofyn lapio brechdanau mewn papur cyn defnyddio'r dail fel haen allanol o'u cylch er mwyn eu cadw'n ffres yn y gwres wrth gludo bwyd o'r tŷ. Dyna mae'n siŵr oedd y cwdyn cŵl cyntefig.

Riwbob cynnar tyner sydd fwyaf addas ar gyfer y rysáit hwn.

Mae riwbob yn cyfuno'n dda â hwyaden ac â mecryll. Mae sinsir ac oren hefyd yn cyd-fynd yn dda iawn â riwbob.

Cynhwysion

Darn o sinsir wedi'i grisialu
ac 1 llwy fwrdd o'r syrop

12 owns o riwbob

1 pot 300ml o grème fraiche

1 tun o gwstard
(neu gwstard ffres)

3 llwy fwrdd o siwgr demerara

Dull

Cynheswch y ffwrn i 220°C/425°F/Nwy 7. Torrwch y riwbob yn ddarnau. Rhowch mewn dysgl ynghyd â'r darn o sinsir wedi'i dorri'n fân ac un llwy fwrdd o'r syrop. Cymysgwch un llwy fwrdd o siwgr demerara iddo. Coginiwch am tua 25 munud, yna gadewch iddo oeri. Cymysgwch y cwstard i'r crème fraiche a thaenwch dros y riwbob. Ysgeintiwch y cyfan â siwgr demerara. Yna gosodwch o dan y gril i'w garameleiddio. Gadewch am 10 munud cyn gweini.

Tip: Os digwydd i chi losgi sosban, mae darn o riwbob yn syth o'r ardd wedi ei rwbio i'r sosban yn codi'r llosg; mae'r asid yn y riwbob yn rhyddhau'r llosg yn syth

Tip meddyginiaethol: Dywedir bod riwbob yn lleddfu'r ddannodd

Rhubarb brulée

Preheat oven to 220°C/425°F/Gas Mark 7. Chop 340g of rhubarb and place in dish with a piece of chopped stem ginger with syrup from jar. Add 1 tablespoon of demerara sugar. Cook for about 25 minutes and allow to cool. Mix contents of a tin of custard with 300ml of crème fraiche and spread over the fruit, sprinkle with 2 tablespoons of demerara sugar. Place under the grill until golden and a crisp crust has formed. Cool for 10 minutes before serving.

Tip: A stick of rhubarb fresh from the garden is good for lifting the charred remains from a burnt out saucepan

'Y gyfrinach i lwyddiant ein hufen iâ yw'r defnydd o gynhwysion lleol.'
Leno Conti, perchennog a mab sylfaenydd y caffi Eidalaidd ar sgwâr Llanbedr Pont Steffan.

PWDIN EISTEDDFOD LLAMBED

Lluniais y rysáit hwn adeg cynnal Eisteddfod yr Urdd yn Llambed ar ddiwedd y mileniwm. Roeddwn wedi bod yn paratoi arddangosfeydd drwy'r wythnos ac yn llawer rhy brysur i siopa, felly roedd y cwpwrdd erbyn hynny ychydig yn foel a llwm. Ar adegau fel hynny mae'n rhaid rhoi rhwydd hynt i'r dychymyg, ac roedd angen rhywbeth bach melys arnom ar ddiwedd diwrnod caled o steddfota. Aeth degawd a mwy heibio a minnau'n dal i baratoi'r pwdin hwn. Mae'r blas yn dal i ddod yn ôl ag atgofion o'r steddfod.

Un o'i rinweddau yw nad oes raid cadw at ffrwythau'r haf. Gellir defnyddio unrhyw ffrwythau tymhorol pan fo'r rheiny yn eu hanterth. Rwy'n arbennig o hoff o ddefnyddio mwyar, ac mae hela mwyar yn un o bleserau diwedd yr haf i mi. Wrth fy sawdl y bydd Mari, y gorgast, a hithau wrth ei bodd yn casglu'r ffrwythau oddi ar y perthi. Bydd ei thafod yr un lliw â 'mysedd porffor a'r ddau ohonom yn sgathru drwy'r drain a'r drysi i gael gafael ar y cynhaeaf gorau.

Pa ffordd well o ddefnyddio ffrwyth y llafur na threulio amser yn y gegin i baratoi gwledd i'r cystadleuwyr brwd yn ein mysg adeg cynnal yr eisteddfod flynyddol fawr arall honno ar ŵyl banc mis Awst sef Eisteddfod Rhys Thomas James yn Llambed? Mae gen i atgofion melys am yr eisteddfod honno hefyd, nid yn gymaint am yr eisteddfod ei hun ond y ffaith fod gen i rwydd hynt i ddefnyddio'r gegin gan fod y tŷ'n wag. Byddai fy mam a fy mam-gu bob amser yn selogion y sedd flaen a minnau yn gofalu bod yna bryd maethlon yn eu haros wedi iddynt ddod adref.

Cynhwysion

8 owns o ffrwythau'r haf

1 twba o gaws iogwrt organig San Clêr neu gaws mascarpone

8 owns o flawd codi

2 owns o fenyn

2½ llwy fwrdd o siwgr demerara

Dull

Irwch ddysgl 9 modfedd sy'n addas i'r ffwrn. Rhowch y ffrwythau ynddo gydag un llwy fwrdd o siwgr. Rhowch gynnwys y pot caws iogwrt neu gaws mascarpone drosto yn dwmpathau. Rhidyllwch y blawd i fowlen yna ychwanegwch un llwy fwrdd o siwgr. Rhwbiwch y menyn i'r blawd a'r siwgr. Cymysgwch ychydig o ddŵr neu'n well fyth laeth â'r blawd i greu toes sy'n ddigon gwlyb i gwympo oddi ar lwy. Rhannwch y toes rhwng y twmpathau neu'r ynysoedd caws ac ysgeintiwch yr arwynebedd â'r siwgr sy'n weddill. Pobwch am tua hanner awr 180°C/350°F/Nwy 4. Bwytewch yn gynnes neu'n oer.

Tip: Gallwch ddefnyddio ffrwythau'r haf o'r rhewgell neu ddefnyddio ffrwythau yn eu tymor. Mae mwyar, afalau, eirin neu riwbob yn gweithio'n dda iawn

Lampeter Eisteddfod pudding

Place 225g of summer fruit in a greased nine inch oven proof dish together with 1 tablespoon of demerara sugar. Spoon contents of Sanclêr organic yogurt cheese tub or mascarpone tub onto fruit in mounds. Sieve 225g of self raising flour into a bowl and add 1 tablespoon of demerara sugar. Rub 55g of butter into flour and sugar. Mix in a little water or better still milk to make dough of dropping consistency. Divide dough between cheese mounds and sprinkle with half a tbsp of demerara sugar. Bake for about half an hour at 80°C/350°F/Gas Mark 4. Serve hot or cold.

Mae siop Peppecorn, Llandeilo yn llawn teclynnau defnyddiol ar gyfer y gegin.

DANTEITHION Y GEGIN

Kitchen favourites

PICL PUM PETH
SGWARIAU SIOCLED Â SGLEIN
SGONS OREN A CHNAU PECAN
TORTH FFRWYTH A SBEIS
PELI SIOCLED AC EIRIN
TEISENNI BRAU

Take Five chutney
Glossy chocolate squares
Orange and pecan scones
Fruit and spice loaf
Prune truffles
Shortbread

PICL PUM PETH

Ysbrydolwyd y rysáit hwn gan yr arfer tymhorol o brynu winwns ar drothwy'r hydref. Dyma ffordd ardderchog o ddefnyddio cynnyrch penigamp Shoni Winwns ar ei ymweliadau blynyddol â Chymru. Mae'n draddodiad braf sydd wedi para ers degawdau. Cymeriad mytholegol bron yw Shoni. Mae'n hanu o Lydaw, mae'n gwerthu ei winwns trymlwythog oddi ar ei feic ond mae yna elfen o ddirgelwch yn perthyn iddo. Mae'r ffaith fod pawb sy'n dod o Lydaw i werthu winwns yng Nghymru yn dwyn yr enw Shoni yn golygu y gall guddio tu ôl i'r enw a thu ôl i'r fytholeg hefyd. Fe fyddaf bob amser yn galw ar y sgwâr yn Llambed i brynu rhaffed o winwns ganddo wrth iddo deithio o gwmpas y gorllewin.

Bydd y picl yn cadw'n dda ac yn atodiad rhagorol i bryd o fwyd syml yn ystod misoedd y gaeaf. Mae'n gweddu'n berffaith i gaws neu gig oer, yn enwedig wedi gwledda a gloddesta cyfnod y Nadolig.

Byddai hefyd yn anrheg derbyniol iawn ac yn rhywbeth gwerth chweil i'w roi mewn hamper.

Cynhwysion

2½ pwys o winwns wedi'u torri'n fân

3 llwy fwrdd o halen

2½ pwys o siwgr

1½ llwy fwrdd o hadau mwstard

1 peint o finegr seidr

Dull

Ysgeintiwch y winwns â halen. Cymysgwch yr halen a'r winwns yn dda a'u gadael i sefyll am awr. Golchwch o dan dap dŵr oer a'u sychu â phapur cegin. Rhowch y winwns, y siwgr, y finegr a'r hadau mwstard mewn sosban gwneud jam. Dewch â'r cyfan i'r berw er mwyn toddi'r siwgr a mudferwch ar wres isel am ryw ddwy awr. Tynnwch o'r gwres a'i adael i sefyll am 10-15 munud. Trowch yn dda, a'i drosglwyddo i jariau twym. Seliwch, labelwch a'u storio mewn lle oer.

Tip: Mae rhoi halen ar winwns yn tynnu'r dŵr ohonynt ac yn eu cadw'n ffres. Mae'r un peth yn wir am wylysiau (aubergine)

Tip meddyginiaethol: Mae sudd betys yn dda meddir i ostwng pwysau gwaed

Tro trwstan: Rhoddais gatwad neu bicl betys, gan ei fod ar gael ac o'r lliw cywir, ar gacen heb feddwl rywdro mewn sioe i ryw bedwar cant o aelodau o Ferched y Wawr adeg eu penwythnos preswyl. Doeddwn i ddim yn disgwyl i'r gacen gael ei rafflo a'i bwyta gan ryw druan. Ond dyna a ddigwyddodd. Ar y ffordd adref, wrth bwyso a mesur llwyddiant meddyliais efallai nad oedd defnyddio picl betys yn syniad da ond, cacen â betys ynddi? Pam lai?

Take Five chutney

Sprinkle 1kg of finely chopped onions with 3 tablespoons salt. Mix well and leave to stand for 1 hour. Rinse and pat dry. Place the onions, 1kg of sugar, 500ml of cider vinegar and 1½ tablespoons mustard seeds in a pan. Bring to the boil to dissolve sugar and simmer gently for 2 hours. Remove from the heat and allow to stand for 10-15 minutes. Stir and transfer to hot jars. Seal, label and store in a cool place.

Tip: This is a great accompaniment to cold meat or cheese especially over the winter months and after the over-indulgence of Christmas

SGWARIAU SIOCLED Â SGLEIN

Mae'r gacen hon yn gweithio'n dda fel pwdin wedi ei weini â hufen iâ fanila. Mae hefyd yn berffaith ar gyfer picnic. Mae picnic da yn golygu gwaith paratoi ac mae'n werth gwneud amser ar ei gyfer, hyd yn oed os digwydd hynny unwaith y flwyddyn yn unig. Rwy'n cofio fel y byddem yn mynd fel teulu yn flynyddol i rywle gwahanol – Castell Carreg Cennen rywdro, y Sioe Fawr dro arall. Byddai'r fasged wiail yn ymddangos ac ynddi ddanteithion di-ri na fyddem o reidrwydd yn eu gweld ar unrhyw adeg arall o'r flwyddyn megis teisen lap neu dreiffl a hwnnw wedi dechrau twymo yng ngwres y car.

Byddai Mam-gu yn paratoi cwrw sinsir blasus ac ynddo ddigon o swigod ac o fwrlwm yn arbennig ar gyfer yr achlysur. Weithiau byddai'r cyfan yn mynd yn drech na ni a'r cwrw sinsir yn ffrwydro cyn i ni gael cyfle i'w flasu. Byddai'n rhaid bodloni wedyn ar fwyta'r bwyd heb ddim i'w olchi i lawr.

Cefais fy ysgogi i greu'r rysáit hwn yn dilyn y ffasiwn diweddar i beidio â glynu at gacen ffrwythau draddodiadol mewn priodasau. Erbyn heddiw mae amryw yn gofyn am sbwng fel yr haen uchaf, a neilltuo'r gacen ffrwythau i'r haenau is. Mae eraill yn gofyn am gacen siocled o ryw fath. Felly dyma fy fersiwn syml i, rhywbeth hyfryd i'w fwynhau wrth yfed cwpaned o goffi neu de.

Cynhwysion

Bar 230g o siocled cnau a ffrwythau

4½ owns o fenyn e.e. menyn Cadog neu Rachael's Organic

3½ owns o fisgedi plaen

3½ owns o siocled gwyn wedi'i falu'n fân

2 lond llwy fwrdd o siafins cnau coco

Dull

Irwch a leiniwch waelod tun pobi maint 9 x 9 modfedd â phapur gwrthsaim. Torrwch y siocled cnau a ffrwythau yn ddarnau a'u rhoi mewn powlen sy'n gwrthsefyll gwres. Ychwanegwch y menyn. Rhowch y cyfan dros sosban o ddŵr sy'n mudferwi er mwyn toddi'r siocled a'r menyn. Wedi i'r cymysgedd doddi, gadewch iddo oeri am tua chwarter awr. Torrwch y bisgedi yn ddarnau

mân, a'u hychwanegu at y cymysgedd ynghyd â'r siocled gwyn. Rhowch y cymysgedd yn y tun a irwyd ac a leiniwyd yn barod, a'i wasgu i lawr. Ysgeintiwch ychydig o siafins cnau coco dros y cyfan. Oerwch yn yr oergell am ddwy awr ac yna ei dorri'n giwbiau.

Tip: Mae rhoi reis mewn tun bisgedi yn cadw'r bisgedi'n sych ac yn ffrcs. Mae reis hefyd yn cadw halen yn sych

Glossy chocolate squares

Grease and line the base of a 9 x 9 inch tin with baking parchment. Break a 230g chocolate fruit and nut bar into pieces and place in a heatproof bowl with 125g of butter. Place over a pan of simmering water to melt. Remove from heat and allow to cool for about 15 minutes. Crumble 100g of Rich Tea biscuits and stir into the mixture with 100g of finely chopped white chocolate. Turn into the prepared tin and compress. Scatter with 2 tablespoons of desiccated coconut if desired. Chill for 2 hours and cut into cubes.

Tip: These glossy chocolate squares go well with ice cream

SGONS OREN A CHNAU PECAN

Mae creu sgons yn grefft ynddi ei hunan. Yr wyf wedi blasu fy siâr o sgons Merched y Wawr yn fy amser. Un o'r meini prawf a ddefnyddir i fesur rhagoriaeth sgon dda mewn sioe yw a ellir ei thorri â bys a bawd yn hytrach nag â chylleth. Mae sgon i fod hollti'n naturiol. Ni ddylid cynnwys ffrwythau mewn sgonen a fwriedir ar gyfer cystadleuaeth: mae sgon o'r fath i fod yn hollol blaen. Ni ddylid gwasgu gormod wrth ddefnyddio'r torrwr chwaith, gan fod hynny'n amharu ar y cymysgedd ac ar allu'r toes i godi. Mae angen cael toriad clir a chodi'r sgonen o'r neilltu.

Mae yna lawer o drafod hefyd ynghylch a ddylid defnyddio torrwr plaen neu un addurniadol a ph'un a ddylid rhoi jam yn gyntaf, hufen wedyn neu fel arall. Yn bersonol byddaf yn rhoi'r jam gynta, hufen wedyn a deilen fint a mefusen yn goron ar y cyfan. Ac am y torrwr, wel mae hynny lan i chi.

Mae angen i'r cymysgedd fod yn eitha gwlyb, yn debyg i does bara. Tipyn o gamp yw llwyddo i gael y cydbwysedd cywir rhwng toes sy'n rhy wlyb a thoes sy'n rhy sych. Llaeth y byddaf innau'n ei ddefnyddio fel arfer, a llaeth sgim at hynny gan fod wy yn tueddu i greu gormod o sychder. Yn y rysáit hwn mae sudd un oren yn gwbl ddigonol ar gyfer wyth owns o flawd.

Cynhwysion

8 owns o flawd codi Melin Llandudoch
2 owns o fenyn
1 owns o siwgr
Sudd a chroen 1 oren
4 owns o gnau pecan

Dull

Cynheswch y ffwrn i 200°C/400°F/Nwy 6. Irwch fwrdd pobi. Rhowch y blawd, ychydig o halen a'r menyn mewn powlen, a defnyddiwch fys a bawd i wneud briwsion. Ychwanegwch groen yr oren wedi gratio. Cymysgwch sudd hanner oren â phedair owns hylifol o ddŵr. Ychwanegwch y cnau a sudd yr oren i'r cymysgedd er mwyn creu toes. Rhowch y toes ar fwrdd wedi'i ysgeintio â blawd. Rholiwch a thorrwch y toes gan ddefnyddio

torrwr sgons. Gosodwch hwy ar fwrdd pobi fesul un wrth eu gwneud. Ysgeintiwch yr wyneb ag ychydig mwy o'r sudd oren. Coginiwch hwy am 15-20 munud nes eu bod yn euraidd. Gweinwch â menyn.

Tip: Pum peth sydd bob amser yn gwmni da i'r sgons yw: menyn, jam a hufen; a the a chlonc, wrth gwrs

Tip: Fel sbwng, mae sgons yn well o'u bwyta'n ffres ar ddiwrnod eu coginio

Pecan and orange scones

Heat oven to 200ºC/400ºF/Gas Mark 6. Grease a baking tray. Put 225g of self raising flour with a pinch of salt and 55g of butter in a bowl. Rub fat into flour until mixture resembles breadcrumbs. Add 30g of caster sugar. Grate an orange and add rind to scone mixture. Squeeze juice from half the orange and mix in gradually with 110g of chopped pecan nuts to form dough. Turn out on to a lightly floured surface. Roll and divide into scones using a cutter. Place on baking tray and brush with juice from remaining orange half. Bake for 15-20 minutes, until golden and serve with butter.

Tip: Best consumed on day of cooking

TORTH FFRWYTH A SBEIS

Dyma rysáit sydd eto yn fy atgoffa o fy mam-gu ar ochr fy mam a'r dylanwad gafodd hi ar fy mywyd a 'ngyrfa. Wrth benelin Mam-gu Goedwig y dechreuais ymddiddori mewn coginio yn blentyn ifanc iawn. Byddai'n rhoi penrhyddid i mi lunio pa bynnag greadigaethau ag y dymunwn o'r toes oedd dros ben wedi iddi baratoi tarten. Byddwn yn ffurfio anifeiliaid egsotig na welwyd ar wyneb daear erioed am wn i. Roedd y gegin yng nghwmni Mam-gu yn lle hudolus i mi. Yn wir y mae amryw o'r rysetiau y byddaf yn eu paratoi heddiw yn seiliedig ar rysetiau Mam-gu, yn enwedig felly'r bwydydd traddodiadol megis bara brith, teisen ffrwythau a'r myrdd o gacennau priodas y byddaf yn eu coginio a'u haddurno'n flynyddol. Yr un rysáit yw hwnnw ag un fy mam-gu ar gyfer ei phriodas hi ei hun, fy mam a fy chwaer. Pwdin plwm Mam-gu yw'r un y byddaf yn ei baratoi a'r un y byddaf yn ei werthu o Gegin Gareth.

Mae'r dorth yn amrywiad ar gacen wedi'i berwi a gellir ei bwyta'n syth heb aros iddi aeddfedu. Roedd hi'n gacen a fyddai ar gael yn y tŷ fel bo modd cynnig darn ohoni pe digwyddai rhywun alw. Byddai Mam-gu yn mesur y ffrwythau'n unigol ond yn y fan hon rwyf wedi defnyddio ffrwythau cymysg. Gellir defnyddio unrhyw ffrwythau sydd wrth law, yn fricyll, ffigys neu lugaeron ac ychwanegu ychydig o frandi neu o sieri i'r cymysgedd, yn hytrach na dŵr.

Mae modd mwynhau'r gacen wedi'i thafellu a'i gweini ag ychydig o fenyn, yn enwedig os yw wedi dechrau sychu.

O'i lapio mewn ffoil a'i rhoi mewn tun mae'n cadw am ryw wythnos.

Cynhwysion

12 owns o ffrwythau sych cymysg

1 wy

3 owns o siwgr demerara
ac 1 llwy fwrdd ychwanegol

1 llwy de o sbeis cymysg

6 owns o flawd codi

Dull

Rhowch y ffrwythau sych mewn powlen ac ychwanegwch chwarter peint o ddŵr berwedig. Gadewch am hanner awr. Cynheswch y ffwrn i 180°C/350°F/Nwy 4. Irwch a leiniwch dun 1 pwys. Curwch y siwgr a'r wy a'i ychwanegu at gymysgedd y ffrwythau. Rhidyllwch y blawd a'r sbeis dros y ffrwythau, cymysgwch y cyfan a'i arllwys i'r tun. Ysgeintiwch â gweddill y siwgr. Coginiwch am tua 50 munud. Gadewch iddi oeri ar resel.

Tip: Mae rhoi tocyn o afal yn y tun gyda'r gacen wrth ei storio yn ei chadw'n ffres

Fruit and spice loaf

Place 350g of dried mixed fruit into mixing bowl and add 150ml of boiling water. Allow to soak for 30 minutes. Preheat the oven to 180°C/350°/Gas Mark 4. Grease and line 1lb tin. Beat 85g demerara sugar and one egg into the fruit mixture. Sift 170g of self raising flour with 1 teaspoon of mixed spice, stir and spoon into tin. Sprinkle with 1 tablespoon of sugar. Bake for about 50 minutes. Turn out onto wire rack to cool.

Tip: This all-rounder can be stored for about a week in an airtight tin. Placing a piece of apple in the tin will help keep it moist

PELI SIOCLED AC EIRIN

Un atgof sydd gen i o feddwl am y pum peth yn y rysáit arbennig hwn yw mynd i'r gymanfa ganu a gweld gwraig ar ffrynt y galeri yn mystyn am botel o frandi ac yn yfed tracht ohono rhwng diwedd pennill a dechrau cytgan. Fyddwn i ddim yn hoffi meddwl faint yn gwmws o'r gwirodydd a yfodd yn ystod y gymanfa. Mae'n siŵr ei fod wedi bod yn foddion iddi iro'i llwnc ac wedi rhoi hwyl arbennig ar y canu.

Mae gwneud peli siocled yn gallu bod yn weithgaredd cymdeithasol lle gall y plant ymuno yn yr hwyl yn y gegin. Rwy'n cofio treulio amser yn aelwyd yr Urdd yn ceisio paratoi tryffls ac yn rowlo a rowlo ar y cymysgedd heb sylweddoli bod yna ben draw i hynny hefyd. Yn y diwedd doedd yna ddim byd yn weddill ond dwylo'n llawn siocled.

Erbyn hyn rwyf wedi llwyddo i berffeithio'r grefft. Byddai ffrwyth llafur y rysáit hwn yn gweithio'n dda fel anrheg i fam neu fam-gu ar Sul y Mamau. Mae rhywbeth yr ydych yn ei greu eich hunan yn dipyn mwy gwerthfawr na'r hyn a geir yn barod o'r siop. Gellir pecynnu'r siocledi mewn bocsys bach pert ac ychydig o ruban o'u hamgylch. Maent yn cadw am ryw wythnos a'r brandi sy'n gynnyrch perllan Toloja yn nyffryn Aeron yn ymestyn eu hoes, ond ni ddylai eu bwyta mewn da bryd fod yn broblem.

I'w gweini – maent yn dda iawn yn syth o'r oergell gyda choffi.

Seidr Toloja –
dim cemegolion,
dim ychwanegolion,
dim ond afalau pur Cymru.

Cynhwysion

8 owns o eirin wedi eu sychu

2 owns hylifol o frandi Toloja

¼ peint o hufen dwbl

12 owns o siocled

4 owns o gnau pistachio wedi eu torri yn fân

Dull

Rhowch yr eirin wedi eu sychu mewn powlen, ac arllwyswch y brandi drostynt. Cymysgwch y cyfan yn dda a gorchuddio'r bowlen â haenen lynu. Gadewch am 2 awr yna tynnwch y cerrig o'r eirin. Cynheswch yr hufen ac ychwanegwch hanner y siocled iddo a'i gadw ar y tân nes iddo doddi. Gadewch iddo oeri.

Llenwch fag peipio â'r cymysgedd siocled, a llenwch du fewn yr eirin ag ef. Gadewch iddynt oeri am 20 munud. Toddwch weddill y siocled mewn powlen dros sosbanaid o ddŵr sy'n mudferwi. Defnyddiwch 2 fforc i drwytho'r eirin sych yn y cymysgedd siocled a gwasgarwch gnau pistachio wedi eu torri'n fân drostynt. Gadewch iddynt oeri ar femrwn pobi nad yw'n glynu.

Prune truffles

Place 225g of prunes in a bowl, pour in 60ml of Toloja brandy, stir and cover with clingfilm. Leave for 2 hours. Remove stones from prunes. Heat 140ml of cream, add 150g of chocolate, stir until melted, allow to cool. Fill piping bag with chocolate mixture. Pipe into the prunes. Chill for 20 minutes. Melt another 200g of chocolate over simmering water. Use 2 forks to dip each prune into the chocolate, sprinkle with 110g of finely chopped pistachios and spread out on non-stick baking parchment to set.

Tip: These truffles would make an unusual and thoughtful Christmas present

TEISENNI BRAU

Pan oeddwn yn blentyn, ac wedi datblygu tipyn ar fy sgiliau coginio ers yr ymdrechion amrwd cyntaf hynny yng nghwmni Mam-gu Goedwig, byddwn yn trefnu gwleddoedd bychain i hwn a'r llall ac yn rhoi gwahoddiadau ffurfiol i bobl ddod i'w mwynhau. Byddai'r rheiny'n digwydd mewn gwahanol lefydd – weithiau byddai'n fwffe yn y gegin i aelodau'r teulu yn unig, dro arall yn de parti i aelodau dethol iawn y plwy.

Ar yr achlysur arbennig hwn, treilyr y ceffylau oedd y cyd-destun anarferol ar gyfer sidetrwydd y te prynhawn. A hynny ar glos ffarm Mam-gu a Thad-cu Pantycelyn. Bu'r paratoi'n ddiwyd ar ei gyfer – a minnau wedi codi'n gynnar i sicrhau bod popeth yn ei le erbyn tri o'r gloch. Ond roedd Tad-cu wedi anghofio gosod y jac i lawr er mwyn atal y treilyr rhag moelyd. Gallwch ddychmygu'r hyn ddigwyddodd wedyn. Cyrhaeddodd y gwestai pwysicaf, gwraig smart oedd yn llond ei chot ac yn llond y treilyr. Ei henw oedd Feiolet, ac roedd yna dipyn o steil yn perthyn iddi. A dyma hi'n cyrraedd y parti ac yn cyrraedd y treilyr. Ac meddai Mam-gu, 'Mae Feiolet wedi cyrradd. Eisteddwch!' Eisteddodd yn y deck chair a osodwyd ar ei chyfer. Os na gwympodd cwt y treilyr ac fe gwympodd y ford. Roedd y cwbl ar y llawr, y bwyd a'r fenyw. A dim ond newydd gyrraedd y parti oedd hi! Allwch chi ddychmygu sut oeddwn i'n teimlo? Bai Feiolet oedd bod y parti wedi'i ddifetha, on'd e? Feiolet, druan.

Gellir gweini'r bisgedi hyn yn blaen fel rhan o de prynhawn neu gyda mefus a hufen fel pwdin. Adeiladu twr o hufen, gosod mefus ar ei ben ac yna creu iâr fach yr haf o ddwy o'r bisgedi. Neu hepgor yr hufen a'u gweini gyda mefus a deilen o fint. Maent yn gweddu'n dda i hufen iâ hefyd, megis hufen iâ ardderchog Contis yn Llambed.

Cynhwysion

8½ owns o fenyn meddal
4 owns o siwgr mân
½ llwy de o fanila
8½ owns o flawd plaen
4 owns o semolina

Dull

Rhowch y menyn mewn powlen fawr, a'i feddalu â llwy bren. Ychwanegwch y siwgr a'r fanila. Rhidyllwch y blawd a'i ychwanegu ynghyd â'r semolina. Cymysgwch y cyfan yn dda. Gosodwch y cymysgedd ar ddarn o bapur gwrthsaim cyn rholio i siâp cylch tua 23cm ar draws. Pinsiwch yr ymylon â'ch bys bawd a bys yr uwd cyn marcio'r cylch yn wyth darn. Priciwch gyda fforc. Codwch y cyfan yn ofalus ar y papur i dun pobi. Rhowch y teisenni brau yn yr oergell am ryw 20 munud. Rhowch y ffwrn i grasu i 160°C/320°F/Nwy 3 a choginiwch y teisenni brau am ryw 50 munud nes bod y lliw yn aur golau. Taenwch siwgr mân dros y bisgedi a gadewch iddynt oeri cyn eu torri.

Tip: Gellir ychwanegu croen lemwn a chreu blas cwbl wahanol

Shortbread

Heat oven to 160°C/320°F/Gas Mark 3. Place 240g of butter at room temperature in a large bowl and soften with a wooden spoon. Beat in 120g of caster sugar and ½ a tablespoon of vanilla extract. Sift 240g of plain flour onto mixture and add 120g of semolina. Stir well. Place on a sheet of greaseproof paper and roll out into a 23cm diameter circle. Indent edge with thumb and forefinger and using a knife divide into 8 potential segments. Mark surface with a fork. Chill for 20 minutes. Bake in oven for about 50 minutes until pale in colour. Sprinkle with caster sugar and allow to cool.

Tip: Add some lemon rind for a very different taste

Peth o hoff gynnyrch a hoff lefydd Gareth i ymweld â nhw

Blue Company
www.bluesauces.com
01948 710 525

Llus, dresin, syrop, saws, diodydd – mae gan Blue ystod o gynnyrch yn seiliedig ar y ffrwyth glas hynod lesol hwn.

Brodyr Jones
4 Stryd y Coleg, Llanbedr Pont Steffan, Ceredigion, SA48 7DY
01570 422414

Cigydd o'r safon uchaf.

Caws Teifi
E bost: john@teifi cheese.com
Fferm Glynhynod, ger Llandysul
01239 851528

Gwerthir y caws mewn marchnadoedd ffermwyr a ledled gwledydd Prydain mewn siopau arbenigol.

Conti's
Sgwâr Harford, Llanbedr Pont Steffan, Ceredigion SA48 8HY
01470 422223

Hufen iâ a chaffi. Un o ddyrnaid o gaffis Eidalaidd a sefydlwyd yng Nghymru sy'n parhau hyd heddiw.

Fferm Tyllwyd
E-bost: johntyllwyd@btinternet.com
John James, Fferm Tyllwyd, Felingwm-uchaf, Caerfyrddin, SA32 7QE
01267 290537

Cig Eidion o dda duon Cymru, gan gynnwys stêc, cig eidion wedi ei dorri'n fân a briwgig.

Peppercorn
www.peppercorn.net
5 Stryd y Brenin, Llandeilo, Sir Gaerfyrddin, SA19 6BA
01558 822410

Nwyddau o safon i'r gegin.

Rheilffordd Gwili
www.gwili-railway.co.uk
Gorsaf Bronwydd, Caerfyrddin, SA33 6HT
01267 238213

Cyfuniad hyfryd o fwyd, teithio a nostalja.

Toloja
E-bost: sales@welshcider.com
01570 471295

Defnyddir ffrwythau cynhenid i Gymru i greu brandi, peri, seidr a sudd afal

Mae blas ar y bwrlwm yn ogystal ag ar y bwyd ym Marchnad Caerfyrddin.

Marchnad Caerfyrddin dan nawdd Cyngor Sir Gaerfyrddin

**Cig Moch a Mwy –
Albert Rees, Ham Caerfyrddin**
www.carmarthenham.co.uk
01267 237687
01267 231204

**John a Iona
(Ffrwythau a llysiau ffres)**
01267 235694

Alun ap Fychan (Cigydd)
01267 236264

Eric Davies a'i Fab (Cigydd)
01267 236799

Richards (Cig oer)
07507 879074

R & P Richardson (Pobi cartref)
01267 241268

Caws Teifi
E-bost john@teificheese.com
01239 851528

**Lawrence Thomas
(Cynnyrch llaeth a menyn
wrth y pwys)**
01994 230044

Paul a Hazel Fear (Gwerthwyr pysgod)
E bost: paul@fishmatters.co.uk
01267 233374

Marchnad Llanelli dan nawdd Cyngor Sir Gaerfyrddin

A J Meats Cyf
01554 755540

**W D Seward a'i Feibion
(Ffrwythau a llysiau)**
01554 757819

Garrett Howells (Bwyd o'r môr)
E bost: garythedell@hotmail.co.uk
07971 803672

Elizabeth Bennett (Bwyd iach)
01554 757246

Jenkins Cyf (Bara)
www.jenkinsbakery.co.uk
01554 750376

Martin Kemp (Bara dyddiol)
07974 306158

**Mr a Mrs Phillips
(Ffrwythau a llysiau)**
07779 256515

Marchnad Cynhyrchwyr Lleol Llandudoch

Caws Cenarth
www.cawscenarth.co.uk

01239 710 432

Busnes teuluol sy'n gwneud caws organig ac arbenigol. Bellach hefyd yn cynhyrchu chorizo.

Carn Edward
Robert Vaughan

01239 820775

07773 789850

Cig eidion carn hir.

Fferm Troedyrhiw
www.troedyrhiwfarm.co.uk

01545 560 475

Cynhyrchir llysiau, ffrwythau, blodau a pherlysiau organig.

Fferm Trehale
www.trehalefarm.co.uk

07896 794451

Fferm deuluol sy'n cynhyrchu cig mochyn, baedd gwyllt, cig oen, selsig a llawer mwy.

Gwynfor Growers
www.gwynfor.co.uk

Llangrannog

01239 654151

Cynhyrchir ffrwythau a blodau (mathau prin megis coed afalau pig aderyn sy'n dod yn wreiddiol o Abaty Llandudoch).

Len a Mandy Walters
01239 621043

Cimychiaid, crancod a physgod wedi'u dal ym mae Aberteifi ar gael gan y cwmni teuluol yma.

Menyn Calon a Pete's Plants
E-bost: pete.rout@virgin.net

07854 061690

Ystod eang o berlysiau, planhigion bach a llysiau ar gyfer yr ardd neu'r patio. Cynhyrchir menyn hefyd.

Wyau rhodio'n rhydd Cwmtydu
E-bost: davies@cwmcynon.fsnet.co.uk

07989 423776

Wyau o ieir sy'n byw ar fferm deuluol sy'n cael y gofal gorau.

Y Felin
www.yfelin.co.uk

01239 613999

Cynhyrchir blawd a bara yn y Felin.

Marchnadoedd cynhyrchwyr lleol Cymru

Mae Gareth wrth ei fodd yn prynu cynnyrch Cymreig lleol – pam na wnewch chithau'r un modd?

Marchnad Ffermwyr Abergwaun
Neuadd y Dref, bob dydd Sadwrn
9.00am–1.00pm

Marchnad Ffermwyr Aberhonddu
Neuadd y Farchnad, ail ddydd Sadwrn y mis
10.00am–2.00pm

Marchnad Ffermwyr Aberystwyth
Rhodfa'r Gogledd, dydd Sadwrn 1af a 3ydd
dydd Sadwrn y mis 10.00am–2.00pm

Marchnad Ffermwyr Bae Colwyn
Canolfan Siopa Bayview, bob dydd Iau
9.00am–1.00pm

Marchnad Ffermwyr Brynbuga
Neuadd Goffa, dydd Sadwrn 1af a 3ydd dydd
Sadwrn y mis 10.00am–1.00pm

Marchnad Glanyrafon Caerdydd
Rhodfa Fitzhammon, Glanyrafon, bob dydd
Sul 10.00am–2.00pm

Marchnad Ffermwyr IKEA (Caerdydd)
IKEA Cymru, Heol Ferry, Grangetown, 3ydd
dydd Iau y mis 11.00am–3.00pm

Marchnad Ffermwyr Caerffili
Canolfan Gymunedol y Twyn, ail ddydd
Sadwrn y mis 9.30am–1.00pm

Marchnad Ffermwyr Caerfyrddin
Canol y Dref, dydd Gwener 1af a 3ydd dydd
Gwener y mis, 9.00am–1.00pm

Marchnad Ffermwyr Cas–gwent
Canolfan Pensiynwyr, ail a 4ydd dydd Sadwrn
y mis 9.00am–1.00pm

Marchnad Ffermwyr Celyn
Y Neuadd Chwaraeon, Coleg Garddwriaeth
Gogledd Cymru, Llaneurgain, 3ydd dydd Sul y
mis 9.00am–1.00pm

Marchnad Ffermwyr Celyn
Canolfan Arddio Grosvenor, Ffordd Wrecsam,
Belgrave ger Caer, ail ddydd Gwener y mis
10.00am–3.00pm

Marchnad Cynnyrch Lleol Clydach
Neuadd Moose, Heol Beryl, dydd Sadwrn olaf
y mis 10.00am–1.30pm

Marchnad Ffermwyr Dolgellau
Sgwâr Eldon, Dolgellau, Gwynedd,
3ydd dydd Sul y mis (Mawrth–Rhagfyr)
10.00am–2.00pm

Marchnad Parc Glasfryn
Y Ffôr, Pwllheli, dydd Sadwrn 1af y mis
10.00am–4.00pm

Marchnad Ffermwyr Glyndŵr
Stad Rhug, Corwen, dydd Sul 1af bob mis
(Mai i Hydref) 10.00am–4.00pm

Marchnad Ffermwyr Hwlffordd
Siopa Glanyrafon, Hwlffordd, Sir Benfro,
SA61 2LJ, bob yn ail ddydd Gwener
9.00am–3.00pm

Marchnad Ffermwyr Llanandras
Gwesty Radnorshire Arms, Llanandras, dydd
Sadwrn 1af y mis 9.00am–1.00pm

Marchnad Ffermwyr Llanbedr Pont Steffan
Stryd y Farchnad, Llanbedr Pont Steffan, bob
yn ail ddydd Gwener 9.00am–2.00pm

Marchnad Cynhyrchwyr lleol Llandudoch
Ger y Cartws a'r Abaty, bob bore Mawrth
9.00am–1.00pm

Marchnad Ffermwyr Llandrindod
Gyferbyn â gorsaf yr heddlu, dydd Iau olaf y
mis 9.00am–1.00pm

Marchnad Ffermwyr Cyffordd Llandudno
Gwarchodfa Natur RSPB, Cyffordd Llandudno,
Conwy LL31 9XZ, dydd Mercher olaf y mis
9.00am–1.00pm

Marchnad Ffermwyr Llangollen
Market Street, ail ddydd Sadwrn y mis
10.00am–3.00pm

**Marchnad Ffermwyr a Chynhyrchwyr
Llangynidr**
Neuadd y Pentref, dydd Sul olaf y mis
10.30am–1.30pm

Marchnad Cynnyrch Llangynydd
Neuadd Pentref Llangynydd, dydd Sadwrn
olaf y mis 9.30am–1.00pm

Marchnad Ffermwyr Llanrwst
Sgwâr Ancaster, 3ydd dydd Sadwrn y mis
9.00am–2.00pm

Marchnad Llansawel
Neuadd Pentref Llansawel, 3ydd dydd Sadwrn
y mis 10.00am–1.00pm

Marchnad Ffermwyr Llanymddyfri
Sgwâr y Farchnad, dydd Sadwrn olaf y mis
9.00am–2.00pm

Marchnad Ffermwyr Machynlleth
Y Plas, dydd Gwener olaf y mis

10.00am–4.00pm

Marchnad Ffermwyr Merthyr Tudful
Stryd Fawr, Canol y Dref, dydd Gwener 1af y
mis 10.00am–2.00pm

Marchnad Cynnyrch Lleol Mwmbwls
Maes Parcio Glanymôr (Ystumllwynarth)
Heol Newton, ail ddydd Sadwrn y mis
9.00am–1.00pm

Marchnad Ffermwyr Penarth
Ysgol Westbourne 4 Heol Hickman,
4ydd dydd Sadwrn y mis 9.30am–1.00pm

Marchnad Cynnyrch Lleol Penclawdd
Canolfan Gymunedol Penclawdd, 3ydd dydd
Sadwrn y mis 9.30am–12.30pm

Marchnad Ffermwyr Penderyn
Canolfan Gymunedol Penderyn,
dydd Sul olaf y mis 10.00am–2.00pm

Marchnad Ffermwyr Penfro
Neuadd y Dref, Penfro, bob yn ail ddydd
Sadwrn 9.30am–1.30pm

Marchnad Cynnyrch Lleol a Chrefftau Penllergaer
Cyngor Cymuned Penllergaer, dydd Sadwrn 1af y mis 9.30am–1.00pm

Marchnad Cynnyrch Pennard
Neuadd Gymunedol Pennard, ail ddydd Sul y mis 9.30am–12.30pm

Marchnad Ffermwyr Pentre'r Eglwys
Canolfan Chwaraeon Llanilltud Faerdref, 3ydd dydd Iau y mis 10.00am–2.00pm

Marchnad Ffermwyr Pen–y–bont ar Ogwr
Awel y Mor, Neuadd Pensiynwyr, Porthcawl, 4ydd dydd Sadwrn y mis 10.00am–1.00pm

Marchnad Cynnyrch Lleol Pontarddulais
Yr Institute, 45 Stryd Sant Teilo, ail ddydd Mercher y mis 9.30am–12.30pm

Marchnad Bwyd Go Iawn y Rhath
Canolfan Mackintosh, Stryd Keppoch, Plasnewydd, Caerdydd, bob dydd Sadwrn 9.30am–1.00pm

Marchnad Ffermwyr Rhiwbeina
Maes parcio tu ôl i dafarn y Butchers Arms, Heol y Felin, bob yn ail ddydd Gwener 10.00am–1.00pm

Marchnad Cynnyrch Rhuthun
Cwrt yr Hen Garchar, Sgwâr San Pedr, dydd Sadwrn olaf y mis (Mai i Hydref) 10.00am–3.00pm

Marchnad Cynnyrch Lleol Sgeti
Ysgol Gyfun Esgob Gore, Heol De La Beche, Sgeti, Abertawe, dydd Sadwrn 1af y mis 9.30am–12.30pm

Marchnad Ffermwyr Sir Fynwy
Pont Mynwy, Stryd Mynwy, Trefynwy, 4ydd dydd Sadwrn y mis 10.00am–1.00pm

Marchnad Bwyd a Chrefftau Trefyclo
Canolfan Gymunedol, ail a 4ydd dydd Sadwrn y mis 9.30am–1.00pm

Marchnad Cynnyrch Lleol Wrecsam
Sgwâr y Frenhines, 3ydd dydd Gwener y mis 9.30am–1.00pm

Marchnad Ffermwyr y Bontfaen
Maes Parcio Arthur Johns, 43 Stryd Fawr, dydd Sadwrn 1af a 3ydd dydd Sadwrn y mis 9.30am–1.00pm

Marchnad Ffermwyr y Fenni
Neuadd y Farchnad, 4ydd dydd Iau y mis 9.30am–2.30pm

Marchnad Ffermwyr y Trallwng
Neuadd y Farchnad, Stryd Lydan, dydd Gwener 1af y mis, 9.00am–2.00pm

Marchnad Ffermwyr Ynys Môn
Ysgol David Hughes, Porthaethwy, 3ydd dydd Sadwrn y mis 9.30am–2.30pm

Marchnad Ffermwyr yr Wyddgrug
Neuadd Eglwys Santes Fair, Stryd y Brenin, dydd Sadwrn 1af y mis 9.00am–2.00pm

Mae'r manylion hyn yn gywir ar adeg mynd i'r wasg

GOEDWIG

MASTER CHEF

THE BRITISH GRAND PRIX
FOR AMATEUR CHEFS

1995

uth-watering salmon
ws television gourme

LLANDYFAELOG
icultural & Horticultural
Show 30.9.3

FIRST PRIZE

FIRST

FFAIR FWYD LLAMBED

Mae traddodiad y Ffeire Bwyd yng Nghymru wedi ei sefydlu bellach yn ein calendr blynyddol ni, ac mae dydd Sadwrn wedi'r Sioe Fawr yn Llanelwedd yn cael ei neilltuo ar gyfer Ffair Fwyd Llambed yn fy nyddiadur personol i. Mae hon yn Ffair Fwyd boblogaidd iawn sy'n denu twristiaid ac ymwelwyr o bob cwr o'r wlad i gampws y Brifysgol yn Llambed. Dyma lle y dechreuais fy ngyrfa yn gweithio yn y gegin yn y coleg, cyn mentro ar fy liwt fy hun a sefydlu Cegin Gareth. Erbyn hyn rwy'n un o drefnwyr y Ffair, ac mae Cegin Chi a Fi, sef y gegin symudol sydd gen i ar gyfer ffeire bwyd, yn chwarae rhan bwysig yn y digwyddiad fel llwyfan i'r cogyddion gwadd. Rwyf hefyd yn edrych mlan at redeg fy stondin fy hun yn y Ffair Fwyd, ac arni nwyddau Cegin Gareth. Y pleser pennaf yw'r cyfle i gael clonc fach gyda chynhyrchwyr a chwsmeriaid fel ei gilydd.

Lluniau Ffair Fwyd Llambed: John Beynon